SWEET SIXTEEN

ANNELISE HEURTIER

SWEET SIXTEEN

ÉDITIONS FRANCE LOISIRS

Aux « neuf de Little Rock », pour avoir cru
que les choses pouvaient changer,
À Brigitte, Aurélien et Christophe, pour leur gentillesse
et leur professionnalisme,
À Paul et Diane, qui me donnent envie d'avancer.

Édition du Club France Loisirs,
avec l'autorisation des Éditions Casterman.

Éditions France Loisirs,
123, boulevard de Grenelle, Paris.
www.franceloisirs.com

ISBN : 978-2-298-08606-5

AVANT-PROPOS

Dans l'Amérique des années cinquante, la ségrégation fait rage. Dans les magasins, les administrations, les transports en commun, les jardins publics... tout est soigneusement pensé pour que les Blancs n'aient pas à « supporter » la présence des Noirs. Considérés comme des êtres inférieurs, on les dit sales, grossiers et vecteurs de maladies en tous genres. Pour la plupart des Blancs, il est tout simplement impensable de se baigner dans les mêmes piscines, d'utiliser les mêmes toilettes, d'entrer par la même porte ou d'être enterré dans le même cimetière.

Cependant, sous la pression d'organisations diverses, les temps commencent à changer. C'est ainsi qu'en mai 1954, la Cour suprême des États-Unis prend l'une des décisions les plus importantes de l'histoire sociale de son pays. Rendant inconstitutionnelle la ségrégation raciale dans les écoles publiques, l'arrêt « *Brown versus Board of Education* » remet en cause une règle vieille de quatre-vingts ans. La doctrine « séparés mais égaux » n'a plus lieu d'être dans l'éducation : désormais, les Noirs pourront bénéficier du même enseignement que les Blancs.

Si la décision est relativement bien accueillie dans le nord du pays, elle provoque l'indignation et la colère des États du Sud, de tradition ségrégationniste plus marquée. Le *Daily News* de Jackson (Mississippi) écrira d'ailleurs à ce propos : « Il se pourrait bien que le sang coule dans le Sud à cause de cette décision, mais ce sont les marches de marbre blanc du bâtiment de la Cour suprême qui seront souillées. Mettre des enfants blancs et noirs dans les mêmes écoles mènera au métissage, le métissage mènera aux mariages mixtes, et les mariages mixtes mèneront à l'abâtardissement de la race humaine. »

C'est dans ce contexte d'opposition massive que le prestigieux Lycée central de Little Rock (Arkansas) décide néanmoins de s'engager dans le processus d'intégration. Après trois ans de travaux préparatoires, il aboutit à l'ouverture de l'établissement à neuf étudiants noirs, sélectionnés pour leur comportement et leur dossier scolaire. Neuf adolescents noirs qui devront étudier au milieu de deux mille cinq cents Blancs.

Constamment harcelés, humiliés, réellement mis en danger, ces jeunes âgés seulement de quatorze à dix-sept ans (Ernest Green, Elizabeth Eckford, Jefferson Thomas, Terrence Roberts, Carlotta Walls, Minnijean Brown, Gloria Ray, Thelma Mothershed et Melba Pattillo) n'y resteront qu'une année. Une année d'une violence inouïe, qui nous fait mesurer le chemin qui a été parcouru depuis... et, surtout, le courage qu'il leur a fallu pour le tracer.

L'un des personnages centraux de ce roman, Molly Costello, est inspiré de celui de Melba Pattillo, dont l'incroyable témoignage peut être lu dans l'autobiographie *Warriors don't Cry, a Searing Memoir of the Battle to Integrate Little Rock's Central High* (Washington Square Press, 1994).

Si la plupart des événements et des personnalités mises en scène ici relèvent de la fiction, d'autres, quoique romancés, sont inspirés de faits avérés (notamment les épisodes de rentrée ou le tristement célèbre bol de chili renversé). Le but n'était pas d'écrire une leçon d'histoire, conforme en tous points à la réalité, mais de retranscrire la brutalité des jours que Melba Pattillo et ses huit autres camarades ont endurée au Lycée central. Puisqu'il s'agit avant tout d'une fiction, les noms des principaux protagonistes ont été changés.

Le « ping-pong » politico-judiciaire (jugements des différentes cours de justice, interventions du gouverneur Faubus et du président Eisenhower), certes simplifié et non exhaustif, est néanmoins réel.

Mai 1954

Ms Carter jeta un regard circulaire dans la classe. C'était une petite femme gironde, au regard clair et pénétrant, qui enseignait au lycée Horace-Mann depuis une dizaine d'années.

Elle demanda :

— Alors ? Est-ce que l'un d'entre vous souhaite se porter volontaire ?

Personne ne répondit. Une mouche entra par la fenêtre ouverte et fila droit sur le professeur, qui la chassa d'un mouvement de bras.

Après quelques secondes d'attente, Ms Carter rassembla les feuilles étalées devant elle et les classa dans une chemise de carton gris.

— Très bien. Alors passons à autre chose.

La mouche revint zigzaguer autour des cheveux du professeur, avant de se poser sur un coin de son bureau.

C'est à ce moment-là que Molly Costello sentit son bras se lever. D'abord doucement, puis plus sûrement, jusqu'à ce qu'il atteigne sa position définitive, l'index pointé vers le plafond décrépi.

Ms Carter, occupée à distribuer des polycopiés, ne la repéra pas tout de suite. C'est Trevor Forman, un redoublant de treize ans, qui le lui fit remarquer :

— Hey, Molly, t'es cinglée ou tu veux juste signaler que le plafond est complètement pourri ?

Quelques rires fusèrent et Ms Carter fit volte-face, laissant tomber ses lunettes sur sa blouse amidonnée. Elle lança à la jeune fille un regard interrogateur :

— Oui, Molly ? Que se passe-t-il ?

— Je suis d'accord.

— D'accord pour quoi ?

— Pour tenter l'expérience.

Ms Carter s'immobilisa. Les sourcils froncés, elle fixait Molly, qui eut du mal à interpréter son comportement. Surprise ? Fierté ? Inquiétude ou désapprobation ?

— Tu en es bien sûre ?

Molly hocha la tête, sous l'œil médusé de ses camarades. À ses côtés, son amie Suzanna chuchota :

— T'es pas sérieuse ? Tu vas pas faire ça ?

Molly haussa les épaules. Après tout, elle ne risquait pas grand-chose. Entre une décision de justice et la réalité, il y avait un monde à traverser.

Et puis, qui sait ? Si jamais ça se produisait, c'était quand même un truc à ne pas laisser passer.

GRACE

Été 1957

La voix de Johnny Mathis s'éteignit, et la chambre replongea dans une torpeur moite et silencieuse. C'était une après-midi sans brise, engourdissante, lente.

Brook Sanders se laissa mollement tomber à la renverse sur son lit :

— Ce type va me rendre dingue.

Elle leva un sourcil, qui prit la forme d'un accent circonflexe :

— Je suis sûre qu'il sent divinement bon. Quelque chose de distingué mais de très viril. Le genre de parfum que l'on porte à Paris, vous voyez ?

Autour d'elle, ses trois amies sourirent.

Allongée sur le couvre-lit à fleurs, Grace Anderson, blonde et menue, s'imaginait le nez plongé dans le cou du chanteur, face à une horde de groupies hystériques de jalousie.

Assise au bord du lit comme pour prendre le moins de place possible, Judy Griffin suivait des yeux les courbes du visage de Johnny Mathis, qui lui souriait sur la pochette du vinyle. Sa timidité et sa retenue naturelle l'empêchaient de le dire tout haut, mais, dans ses pensées, elle aussi se voyait embrasser furieusement le chanteur.

Quant à Dorothy Mitchell, fille du propriétaire de l'un des plus gros cabinets d'avocats de Little Rock, elle s'était arrêtée de feuilleter l'un des derniers numéros de *Seventeen*. Le rocking-chair sur lequel elle s'était installée émettait un petit grincement cadencé, rassurant, à chacune de ses oscillations. Après avoir à son tour imaginé l'odeur animale de Johnny Mathis, elle reprit sa lecture au milieu d'un article qui promettait « un maquillage naturel en moins de huit minutes ».

Dans son ample jupe à crinoline, Grace paraissait encore plus mince qu'elle ne l'était déjà. Trop à son goût, en tout cas. Elle se trouvait une silhouette de gamine.

Les yeux brillants de malice, elle roula sur le côté, se retrouvant soudain face à Brook :

— À côté du déhanché d'Elvis, avoue quand même que ton Johnny peut aller se rhabiller !

Dans son coin, Judy passa du blanc à l'écarlate. Quand elles s'en aperçurent, ses amies éclatèrent de rire. Grace leva les yeux au ciel :

— Judy, mais quelle oie blanche tu fais ! Décoince-toi un peu, on est en 1957 !

Elle saisit la jeune fille par le bras et l'entraîna au milieu de la chambre en fredonnant les paroles du dernier tube d'Elvis Presley :

Baby let me be,
your lovin' Teddy Bear
Put a chain around my neck,
and lead me anywhere

Grace trouvait la chose très distrayante. Elle déployait toute son énergie pour faire bouger Judy, qui observait ces gesticulations sans visiblement savoir que faire de son corps, le dos raide comme une falaise.

En guise de motivation, Grace se mit à chanter plus fort, avant de se lancer dans une imitation appuyée du chanteur :

Oh let me beeeeee
Your Teddy Beaaaaar

Brook était hilare. Essayant de retrouver son sérieux, elle se redressa :

— Chuut ! Arrête, Grace ! Si ma mère t'entend chanter Elvis, je te garantis que plus jamais tu ne passeras la porte de cette maison !

Judy profita de cette intervention pour retirer ses mains de celles de Grace. Chez elle, comme chez la plupart des jeunes filles de bonne famille, le chanteur était banni. Même la presse l'épinglait, dénonçant cette manière obscène qu'il avait de bouger. « S'il faisait cela dans la rue, il serait arrêté », avait-on pu lire dans *Times Magazine*, quelques semaines plus tôt.

Grace se tapota les joues, rougies par l'effort et la chaleur de ce début de mois d'août, avant d'ajouter :

— En tout cas, j'ai entendu dire qu'il allait donner un concert ici.

Brook se leva du lit :

— Tu es sûre ? À Little Rock ?

Grace opina du chef.

— Formelle. Je l'ai lu dans la *Presse de l'Arkansas*, il y a quelques semaines.

À l'évocation du journal, Brook, Dorothy et Judy se figèrent tout net. Elles fixaient leur amie comme si elle venait d'annoncer qu'elle allait se raser la tête.

— La *Presse de l'Arkansas* ? Ce journal de nègres ? Mais, Grace, comment diable…

Grace haussa les épaules :

— Rassure-toi, je n'ai jamais dépensé un cent pour ce torchon. C'est Minnie, ma bonne, qui m'a découpé l'article. Elle sait que j'adore… mmmh, *Pelvis*.

Grace décocha un regard moqueur à Judy, puis éclata de rire. La mettre mal à l'aise était presque trop facile.

Brook posa la main sur son cœur, sur la délicate petite broche d'émeraude et de rubis que sa mère lui avait offerte pour son quinzième anniversaire. Grace lorgnait dessus depuis qu'elle était arrivée.

— J'aime mieux ça. L'espace d'un instant, j'ai vraiment cru que tu avais perdu le sens commun. Quoi qu'il en soit, à ta place, je ne serais pas aussi sûre de moi. Ce journal est un ramassis d'idioties.

Dorothy, qui avait fermé son magazine, hochait ses boucles brunes. La *Presse de l'Arkansas* appartenait à Maxene Tate, une activiste noire récemment élue à la tête de la branche locale de la

NAACP[1] et sérieusement décidée à faire avancer les droits de sa communauté.

— Mon père dit que cette Maxene est un danger pour la cohésion de l'État. Qu'on pourrait peut-être même la poursuivre pour ça.

Brook renchérit :

— Tout à fait d'accord. Cette négresse est bonne à enfermer. Vous vous rappelez, il y a trois ans, après le jugement « Brown – machintruc » ?

— *Brown versus Board of Education of Topeka*, précisa Dorothy, que l'ascendance rendait naturellement plus familière des choses de loi.

Les trois autres acquiescèrent. Cet arrêt de la Cour suprême des États-Unis, la plus haute juridiction du pays, avait provoqué un tel séisme qu'il était impossible de l'avoir oublié. Enfin, à part peut-être le nom.

Brook tourna son index sur sa tempe :

— Comme si les Noirs pouvaient fréquenter les mêmes lycées que nous ! C'est à se tordre de rire.

Dorothy ajouta :

— Je ne comprends pas l'obstination de cette folle. Qui est-ce qu'elle croit convaincre ? Toutes les études scientifiques démontrent que la race

---

1. *National Association for the Advancement of Colored People*. Cette association vise à défendre les droits et la justice de la population noire aux États-Unis.

blanche est supérieure à la race noire en tous points. Final.

— Même la forme de leur crâne[2] le prouve, souligna Brook. Ces Noirs se conduisent comme des sauvages, se vautrent dans l'alcool, le sexe et le bruit. Ce n'est pas pour rien que ce sont eux qui ont été nos esclaves, et non l'inverse.

Elle soupira :

— Bon, tout ça m'a donné chaud ! Vous n'avez pas soif ? Je vais demander à Martha de nous monter de l'orangeade.

En pensant à sa domestique, elle ajouta en riant :

— Ça lui donnera l'occasion de bouger son gros derrière !

2. La phrénologie est une théorie selon laquelle la forme du crâne de l'être humain reflète son caractère. Elle a notamment été utilisée par les chantres du racisme, afin de légitimer une distinction et une classification entre les « races ».

MOLLY

Comme elle ouvrait le réfrigérateur, Molly remarqua que la feuille de calendrier qui y était fixée avait à nouveau disparu. Depuis qu'il n'y avait plus qu'un seul aimant pour le retenir, il n'était pas rare de le retrouver par terre, voire à l'autre bout de la cuisine quand le vent soufflait plus fort qu'à l'accoutumée. Elle inspecta rapidement le sol carrelé. Rien. Il avait dû glisser sous un meuble.

Molly haussa les épaules et se pencha pour attraper la bouteille de lait. Machinalement, elle l'agita devant elle. Il restait à peine de quoi arroser deux flocons d'avoine.

Sur le papier peint à carreaux orange et bruns, l'horloge murale marquait six heures trente. Molly avait encore le temps de faire un saut à l'épicerie.

À la hâte, elle griffonna un mot à l'attention de sa mère et de sa grand-mère, avec qui elle habitait depuis que son père était parti. Erin et Shiri n'allaient pas tarder à se lever.

En sortant de la cuisine, Molly aperçut le calendrier qui avait atterri dans un coin du couloir. Elle s'agenouilla pour le ramasser.

20 août 1957

Dans une douzaine de jours, quelque chose allait commencer. Une bouffée d'angoisse et d'impatience la fit frissonner.

▪ ▪ ▪

Molly marchait d'un bon pas. Au bout de la rue, elle fit un écart pour éviter deux poubelles renversées, qui vomissaient quelques boîtes de corned-beef, des bouteilles de *grapette cola* et des épluchures non identifiées. Autour, de grosses mouches vertes grésillaient.

Une femme blanche, d'une quarantaine d'années, passa devant Molly. Elle portait un joli petit chapeau cloche orné d'une grosse fleur orangée, ce qui lui donnait un air moderne et frivole. La femme toisa Molly en se pinçant ostensiblement le nez. À son regard explicite, la jeune fille comprit que ce n'étaient pas les ordures qui l'incommodaient.

Molly obliqua à droite et arriva aux abords de Horace-Mann, son collège. C'était un bâtiment sans âme, à la façade morose, mystérieusement et systématiquement oublié des programmes de rénovation. Molly s'immobilisa devant l'entrée. En cette période de vacances scolaires, tout était calme, comme laissé à l'abandon. Bec au vent, un merle était posté sur le banc en ferraille, près du chêne sous lequel elle avait parlé à Vince pour la première fois. L'arbre était malade, il était prévu qu'il soit abattu.

Molly n'arrivait toujours pas à y croire. Est-ce que *ça* allait réellement arriver ? Chaque jour qui passait rendait pourtant l'hypothèse plus probable.

Molly n'irait plus jamais à Horace-Mann.

Dans moins de deux semaines, elle serait censée faire partie des neuf premiers étudiants noirs à pouvoir intégrer le Lycée central de Little Rock.

Un lycée de Blancs.

« Triés sur le volet, ces neuf étudiants noirs changeront l'histoire », avait souligné la *Presse de l'Arkansas.*

Molly avait toujours rêvé d'entrer dans une école de Blancs, ne serait-ce que par curiosité. Tout y avait l'air tellement plus grand, tellement plus propre, tellement plus beau.

En l'occurrence, le Lycée central de Little Rock était particulièrement renommé. À ce qu'elle avait entendu, on y trouvait des équipements dernier cri : un laboratoire de sciences, des magnétophones pour les langues et même une cuisine tout équipée pour les cours d'économie domestique. D'excellents professeurs y enseignaient et plusieurs étudiants avaient reçu une bourse Rhodes[3]. En résumé, rien à voir avec sa petite école à elle, dans laquelle le corps enseignant devait redoubler d'inventivité pour pallier le manque de moyens.

Le merle s'envola du banc de ferraille, et Molly reprit son chemin, songeuse. Elle avait beau avoir grandi dans ce quotidien-là, elle était tout à fait consciente de l'iniquité de la situation. La vie des Noirs semblait être faite d'un ingénieux assemblage d'injustices courantes, ne visant qu'à une chose : les maintenir à leur place, c'est-à-dire sous les semelles des Blancs.

« Séparés mais égaux », promettait glorieusement la loi depuis quatre-vingts ans. Quelle foutaise. Et pas seulement dans les écoles. Les exemples étaient légion. Les toilettes pour Noirs, dans les magasins ? Encore fallait-il les trouver,

3. Rhodes Scholarship award : bourse académique très prestigieuse, venant récompenser les meilleurs étudiants du monde entier.

reléguées au fond d'un dédale de couloirs sombres et sales. Les fontaines d'eau qui leur étaient réservées ? Poussiéreuses et jamais nettoyées.

Pourquoi la justice avait-elle édicté une telle loi si c'était pour la laisser fouler aux pieds sans même lever le petit doigt ?

C'est peut-être pour cela, et aussi parce que sa grand-mère Shiri l'avait élevée dans l'idée que les Noirs méritaient les mêmes chances que les Blancs, que Molly s'était déclarée volontaire pour intégrer le Lycée central, trois ans auparavant.

Le souvenir lui paraissait si lointain. Presque irréel. Elle avait tout juste douze ans et demi.

Ce jour-là, elle n'avait pas vraiment prêté attention à cette histoire. De toute façon, tous les ségrégationnistes de la ville se lèveraient comme un seul homme pour empêcher pareille chose se produire. L'idée lui avait donc semblé tellement fantaisiste qu'elle n'avait même pas jugé utile d'en informer sa mère et sa grand-mère.

Alors, au fil des jours et des mois, elle avait oublié.

Jusqu'à ce coup de téléphone, au début du mois d'août. C'est Erin qui avait décroché. Sa mère était d'abord restée sans rien dire, et Molly s'était demandé quelle nouvelle on avait bien pu lui annoncer. L'arrivée d'un demi-frère ou d'une demi-sœur, chez son père ? Le divorce de Grace Kelly et de son prince français ? Un énième conflit avec ces sauvages de Soviétiques ?

Erin avait doucement reposé le combiné et s'était retournée vers sa fille. Ses yeux noirs l'avaient aspirée au bout d'un tunnel sans fond.

Puis elle avait parlé, d'une voix que Molly n'avait jamais entendue. La candidature de Molly avait été retenue par le Lycée central de Little Rock. Comme quelques rares autres étudiants noirs, elle pourrait y faire sa rentrée au mois de septembre.

C'est après le mot « septembre » qu'Erin avait explosé.

– Quand est-ce que tu avais prévu de nous en parler ? As-tu pensé aux conséquences de ta décision ? As-tu seulement compris que tu vas tous nous mettre en danger ?

Molly était d'abord restée sans voix, la bouche ouverte, hébétée. Quoi ? Cette vieille histoire n'avait donc pas été qu'une farce politique ? Et pourquoi ne ressortait-elle que maintenant ?

– Un paquet de Noirs se sont fait lyncher, et pour moins que ça, ma petite fille ! avait hurlé sa mère.

Les cris d'Erin avaient contraint Molly à redescendre sur terre, au milieu du salon. La moquette verte était épaisse mais le choc avait tout de même été rude. Elle était loin d'avoir imaginé une telle fureur, une telle panique. Alors, elle aussi avait pris peur.

Le souvenir de tous ces Noirs tabassés pour un mot ou un regard de travers, sous l'œil goguenard et complice de la justice, lui était revenu en tête. Et la portée de son geste lui était apparue dans toute son éclatante horreur.

— Pauvre petite dinde noire, avait répété sa mère.

▪ ▪ ▪

Cela faisait maintenant dix bonnes minutes que Molly patientait derrière le comptoir de l'épicerie. Deux clients blancs étaient entrés après elle, et le propriétaire des lieux s'était empressé de les servir, volubile et obséquieux. Madame avait-elle besoin d'être livrée ? Ne voulait-elle pas se laisser tenter par ces pommes, de véritables petites merveilles de texture et de saveur ? John Smith était un homme rondelet, aussi odieux avec les Noirs qu'il était mielleux avec les Blancs. À croire qu'il avait fait exprès de s'installer dans ce quartier à forte dominante afro-américaine pour avoir tout le loisir d'humilier les habitants.

Quand la dernière cliente eut refermé la porte de l'épicerie, John Smith entreprit de vérifier le contenu de sa caisse enregistreuse.

Ignorant totalement Molly, il se mit à composer des petits tas de piécettes réguliers. Molly toussota légèrement. Pas de réaction. John Smith commençait une deuxième rangée.

— Hum... bonjour ? tenta faiblement Molly.

L'épicier leva sa tête pouponne, l'air mauvais. Immédiatement, Molly détourna les yeux. Croiser son regard n'aurait fait qu'envenimer la situation.

— Qu'est-ce' tu veux ? aboya Mr Smith.

— Un litre de lait, s'il vous plaît.

— T'as de quoi payer ? Je fais pas crédit, et encore moins aux négros.

C'était la seule épicerie du quartier et cela faisait une bonne dizaine d'années que les Costello s'y approvisionnaient. Ils avaient toujours payé sur-le-champ, et Smith le savait pertinemment. Molly se dépêcha d'aligner ses quarante-cinq cents sur le comptoir.

L'épicier posa ses mains écartées de part et d'autre des pièces, puis souffla d'une voix arrogante et sucrée :

— De toute façon ça tombe mal, j'en ai plus.

Molly fixa, incrédule, les dizaines de bouteilles qui brillaient derrière lui.

— Mais, et…

Du plat de la main, John Smith tapa sur le zinc :

— T'as pas compris ce que j'ai dit ? Y en a plus !

Molly ramassa ses pièces et, en toute hâte, les fourra dans son porte-monnaie.

— Regardez-moi ça, ça veut venir dans nos lycées alors que c'est même pas foutu de comprendre ce qu'on dit !

Molly referma la porte de l'épicerie, faisant valser le carillon. C'était loin d'être la première fois qu'elle devait faire face à ce genre d'humiliation, mais elle n'arrivait toujours pas à la laisser glisser sur elle, comme le lui répétait sa grand-mère.

Le sac vide et la mort dans l'âme, elle reprit le chemin de la maison. Tant pis pour son petit déjeuner, elle se passerait de lait.

Molly regarda sa montre. Il était déjà sept heures cinq. Si elle ne se dépêchait pas, elle allait finir par se mettre en retard.

Elle courait sur le trottoir quand un vieil homme noir la stoppa. Malgré la chaleur, le vieil homme portait un épais chandail, troué à l'épaule. « Pourquoi les personnes âgées ont-elles tout le temps froid ? » s'interrogea Molly, qui transpirait déjà. L'homme demanda :

— C'est toi ? Tu es l'une des étudiantes, c'est bien ça ?

Sans attendre la réponse, il ajouta :

— Je te reconnais, ils ont mis votre photo dans le journal. J'ai gardé l'article.

Il lui secoua le bras, avec une force que son âge n'aurait pas laissé deviner :

— N'y va pas, tu entends ? On a déjà bien de la chance d'avoir des écoles, tu comprends ça ?

Molly se dégagea de l'emprise du vieillard. Elle fit quelques pas en arrière en bredouillant une réponse qu'elle ne comprit pas vraiment. Puis, comme elle lui tournait le dos, elle l'entendit crier :

— Tu finiras sur une carte postale[4] !

Molly s'imagina pendue à un lampadaire, les pieds se balançant dans le vide. Vieux fou.

Elle se remit à courir. Elle n'avait qu'une envie, rentrer à la maison pour éviter de croiser qui que ce soit d'autre. Depuis que l'intégration au Lycée central avait été annoncée, quinze jours plus tôt, son quotidien avait radicalement changé. Et pour commencer, n'importe qui se croyait autorisé à donner son avis.

Toute la ville ne parlait plus que de cela. La radio, la télévision et les journaux en faisaient leurs choux gras, revenant sur les tenants et les

4. Dans les années vingt, le « spectacle » d'Afro-Américains pendus à des lampadaires était photographié puis reproduit sur des cartes postales, que s'arrachaient les Blancs.

aboutissants, le contexte juridique et les possibles conséquences d'un tel bouleversement. On évoquait des soulèvements, des manifestations et des émeutes sanglantes, comme à Elaine ou Tulsa, dans les années vingt. Dans les rues, dans les magasins, partout régnait cette même ambiance désagréable, pesante et électrique. Des installations pour Noirs avaient été saccagées, des voitures brûlées. Des panneaux avaient fleuri dans les pelouses impeccablement taillées, appelant à se battre pour la défense de la ségrégation et des droits des enfants blancs.

Molly introduisit la clé dans la serrure et s'engouffra à l'intérieur de la maison.

Une odeur familière de bacon grillé lui chatouilla les narines. Sa mère devait être levée.

— C'est moi ! lança Molly en claquant la porte d'entrée.

Par réflexe, elle jeta un œil sur le téléphone. Depuis quinze jours – et c'était une autre nouveauté –, il sonnait à toute heure de la journée. Des amis qui appelaient pour assurer la famille de leur soutien, ou pour les doucher de reproches. Des anonymes qui les menaçaient et les insultaient à n'en plus finir. Or, l'inconvénient, c'est que, avant de décrocher, on ne pouvait pas savoir sur laquelle de ces catégories on allait tomber.

Molly posa ses clés sur la commode du salon, à côté du journal que sa mère avait dû ramasser sur le paillasson. La *Presse de l'Arkansas* titrait sur l'agression d'une jeune fille de onze ans par un homme blanc. Molly savait qu'elle aurait mieux fait de reposer immédiatement le quotidien mais elle ne put s'empêcher de parcourir l'article, presque avidement :

« Encore sous le choc, l'enfant rapporte que son agresseur l'a rouée de coups en l'insultant. Pour lui montrer ce qu'on faisait aux négresses qui veulent aller en cours avec [ses] enfants. »

Molly referma le journal. Pas étonnant que, de dix-huit, les candidats à l'intégration ne soient plus que neuf. Elle-même avait hésité. Mais, au final, elle avait maintenu son choix. Étudier dans un grand lycée était une opportunité à ne pas manquer. Et valait certainement quelques sacrifices.

D'ailleurs, le choc passé, sa grand-mère et sa mère avaient fini par se rallier à sa cause.

« Si c'est ta décision, nous te soutiendrons », avaient assuré les deux femmes. Seul son père avait continué à la mettre en garde. Il avait même pris la peine de lui téléphoner pour lui dire ce qu'il en pensait.

Molly poussa la porte de la cuisine. Sa mère était attablée devant un bol de chicorée. Dans une assiette, quelques restes d'œufs brouillés indiquaient qu'elle avait presque terminé son petit déjeuner. Elle accueillit Molly avec un sourire qui lui réchauffa le cœur :

— Bonjour ma belle ! Alors, tu as trouvé du lait ?

Molly secoua la tête :

— Mmmh non, il n'y en avait plus.

— Vraiment ? À six heures du matin ?

Erin fronça les sourcils et, pour couper court à ses questions, Molly embraya sur le programme de la journée.

— Maman, est-ce que tu pourras me déposer à la réunion de la NAACP ?

Erin hocha la tête :

— Bien entendu. C'était prévu.

Elle se leva pour aller chercher la cafetière et la tendit à sa fille, d'un air enjoué :

— Tu en veux un peu ?

— Non, merci.

Molly détestait la chicorée et n'arrivait pas à comprendre pourquoi sa mère s'obstinait à lui en proposer à chaque petit déjeuner. Tout en remplissant sa tasse de liquide brun, cette dernière commenta :

— Heureusement que Maxene Tate et tous les membres de la NAACP sont là pour vous remonter le moral. Quelle carne, ce principal !

Molly regarda le visage aigre de Leroy Thomson s'imprimer sur la toile cirée. La veille, lors d'une réunion préparatoire au Lycée central, il avait tout de suite mis les choses au clair : il n'était pas favorable à la mixité raciale et n'avait mis en place ce plan d'intégration que parce que la loi l'y contraignait. Aussi, si l'un des « neuf » avait changé d'avis, qu'il ne se gêne pas. Le responsable pédagogique, un homme qui avait tout d'un fil de fer, avait enfoncé le clou :

— D'autre part, il ne faudra pas vous attendre à participer aux activités extrascolaires ou aux clubs associatifs. L'intégration se bornera aux cours obligatoires, tenez-vous-le pour dit.

Erin posa le paquet de céréales sur la nappe, et le visage du principal s'effaça. Après avoir remercié sa mère, Molly remplit son bol, en silence.

Alors qu'elle parsemait ses flocons d'avoine de quelques raisins secs, la jeune fille remarqua, mi-amère, mi-amusée, qu'ils passaient aussi inaperçus que neuf Noirs au milieu de deux mille cinq cents Blancs.

Elle reprit une poignée de raisins secs et les laissa tomber dans son bol. *Pourtant, plus il y en a et meilleur c'est, n'est-ce pas ?*

Shiri arriva dans la cuisine au son d'un « Dieu est avec nous ! » joyeux et chantant. Dans sa longue chemise de nuit blanche, elle paraissait tout droit sortie de la chorale de l'église.

Molly lui sourit. Elle espérait que sa grand-mère disait vrai. Parce que ça faisait un sacré paquet de temps que Dieu semblait quand même préférer les Blancs.

GRACE

La grande table d'acajou des Sanders brillait tellement que Grace pouvait s'admirer dedans.

Autour d'elle, toutes les bonnes volontés désireuses de se rallier à la Ligue des mères blanches écoutaient Katherine Sanders. Pour qu'elle parle avec autant de passion, son rôle de présidente de la Ligue devait vraiment être celui de sa vie. Sa mise en plis commençait à faiblir et elle n'avait même pas pris le temps de la retaper.

— La rentrée est dans moins de huit jours. C'est *maintenant* que nous devons redoubler d'efforts pour défendre les intérêts de nos enfants. Nous ne POUVONS raisonnablement pas faire entrer ces neuf nègres au Lycée central. Rendez-vous compte de ce que cela implique au quotidien ! Les laisser s'asseoir sur les *mêmes* toilettes, manger avec les *mêmes* couverts que nos enfants ! Exposer nos filles à leurs façons grossières et à leurs maladies !

Entre deux bouchées de biscuits, l'assistance apprêtée faisait des signes approbateurs ou ponctuait le discours de « Seigneur Dieu » horrifiés.

De temps à autre, Martha, la domestique des Sanders, remplissait des verres ou ramassait des miettes sur le tapis.

Grace ne croyait pas éprouver une quelconque sympathie pour les Noirs, mais elle se demandait comment Martha pouvait prendre une apparence si détachée alors que sa patronne parlait de la sorte, juste sous son nez. À sa place, elle aurait été mortifiée. Au lieu de quoi, Martha continuait son travail sans rien laisser paraître. De la sueur perlait sur ses tempes, mais il faisait tellement chaud et humide que cela pouvait tout aussi bien être dû à la nonchalance du ventilateur.

— Mais comment allons-nous faire ? piailla une petite femme en battant des paupières poudrées de rose.

La poitrine de la femme étouffait dans un chemisier étriqué. Grace se demanda si, comme elle, toute la tablée regardait le petit morceau de muffin qui y avait atterri.

— Oui, que fait-on concrètement ? reprirent plusieurs mères, en canon.

Kathy Sanders tapa dans les mains :

— Toutes vos idées sont les bienvenues ! Mais, pour en avoir déjà longuement débattu ces dernières semaines lors des réunions organisées par notre association, nous savons qu'il va falloir agir finement.

De l'autre côté de la table, Brook gratifia Grace d'un sourire entendu. Cette dernière n'avait pas forcément eu très envie d'assister à ce petit « goûter », mais Brook avait tellement insisté qu'elle s'était laissé convaincre.

— Tu ne vas quand même pas me dire que tu veux étudier à côté d'un nègre ? avait demandé Brook.

Dorothy avait ajouté :

— Ou déjeuner ? La seule place des nègres au lycée, c'est à la cafétéria, derrière le comptoir !

Grace avait alors accepté. Sans compter que cela ferait toujours un prétexte supplémentaire pour apercevoir Sherwood, le frère aîné de Brook, qu'elle trouvait plus qu'attirant. D'ailleurs, elle n'était pas la seule. La moitié des filles du lycée auraient vendu leur mère pour sortir avec lui, ce qui avait achevé de la convaincre. Ce serait *elle, Grace Anderson*, qu'il inviterait au bal de fin d'année. Et personne d'autre.

Katherine Sanders reprit :

— Les faits sont simples. L'abolition de la ségrégation dans les écoles publiques a été édictée par la loi. La seule manière d'en stopper l'avancée est donc de démontrer qu'elle met en danger la sécurité de nos enfants.

Une autre mère se mit à crier, très agitée :

— Mais cela la met *déjà* ! Dieu sait de quels instincts ces nègres sont animés ! Je ne veux pas retrouver ma fille égorgée !

— Ou contaminée par une maladie honteuse ! ajouta une autre en fourrant un bout de gâteau dans sa petite bouche plissée.

Grace se recula pour laisser Martha lui servir un verre d'orangeade. Chez elle, il y avait également une domestique noire et, bien qu'elle l'ait bercée, changée et amusée pendant toute son enfance, Grace devait bien reconnaître qu'elle n'avait contracté aucune maladie spécifique. Loin de là. Entre Grace et Minnie, une vraie complicité s'était nouée. Non, plus que de la complicité. De l'amitié.

Mrs Sanders hocha la tête avant de répondre :

— Mesdames, je partage votre opinion mais, au regard de la justice, cela n'est pas suffisant. Ce qu'il faut laisser entendre, c'est que l'intégration elle-même va conduire à des émeutes. Que les jeunes sont en train de se procurer des armes et que cette journée du 3 septembre va finir dans un bain de sang.

Grace releva la tête. Visiblement satisfaite, Kathy Sanders examinait l'effet de sa prestation sur son auditoire.

Après quelques secondes de silence, un brouhaha confus emplit la salle à manger.

Mrs Sanders fit tinter une clochette argentée pour réclamer le silence.

— C'est pourquoi nous allons en référer au juge Reed, à la Cour d'État de l'Arkansas, pour lui exposer notre manière de penser. Parallèlement à cela, je demande à toutes celles qui veulent bien adhérer à notre ligue de nous prêter main-forte pour continuer à alerter l'opinion sur les dangers de l'intégration. Nous acceptons les espèces et les virements bancaires.

Elle marqua une pause et se prépara à lâcher son argument final, sa petite botte secrète dont elle se félicitait chaque jour d'avoir eu l'idée :

— Si nous n'agissons pas maintenant, ils voudront bientôt épouser nos filles ! Et vous vous retrouverez à bercer... des petits-enfants mulâtres !

Grace vit Martha jeter un œil à celle qui l'employait depuis des années. Et ce qu'elle lut dans ses yeux la mit mal à l'aise. C'était le regard de quelqu'un qui a perdu espoir.

Grace avala une gorgée d'orangeade. Dieu, qu'il faisait chaud ici ! Quand est-ce que cette petite sauterie allait donc se terminer ? Elle avait d'autres chats à fouetter.

▪▪▪

Les poings sur les hanches, Grace faisait face aux rayonnages de son armoire. La rentrée avait lieu dans cinq jours et elle n'avait toujours pas décidé quelle tenue elle allait porter. Elle était d'avis que la première impression était déterminante pour asseoir sa popularité et était bien décidée à mettre toutes les chances de son côté.

Elle déplia le pull que venait de lui offrir sa tante, avant de le jeter sur son lit. De l'angora, c'était définitivement inenvisageable pour les températures de début septembre. Hors de question d'être rouge comme une paysanne texane ou, comble de l'horreur, en sueur.

Grace fit valser les cintres, à la recherche du chemisier adéquat. Ce bleu était vraiment joli. Mais elle l'avait déjà mis.

Et ce vert pâle, en popeline ? Grace le plaça devant elle et fit un quart de tour pour interroger son miroir.

— Bof, décida-t-elle en l'envoyant rejoindre les autres. On dirait une ménagère qui veut jouer à la bourgeoise. Genre Mamie Eisenhower en train de siroter son thé.

Après une heure de recherches approfondies, elle finit par opter pour une jupe blanche à crinoline ainsi qu'un pull léger et près du corps, qui mettrait sa taille fine en valeur.

Pivotant devant la glace, elle se mit tout de même à envier la silhouette de ses amies, surtout celle de Dorothy. Elle murmura :

— Tu parles, elle a le nez tordu, mais elle s'en fiche, les garçons regardent sa poitrine !

Grace bomba le torse. Pour elle, rien à faire. C'en était désespérant. Elle leva la jambe pour examiner son mollet. Si au moins elle avait pu montrer ses jambes fines en portant des jupes plus courtes. On en voyait sur toutes les pages des magazines ! Avec des collants en Nylon. Le rêve. Grace soupira et pesta contre sa mère, qui ne voulait rien savoir.

— Des collants ? Certainement pas. J'ai déjà dit oui pour le maquillage, c'est amplement suffisant. Pour le reste, on en reparlera quand tu auras seize ans.

Mais Grace ne s'avouait pas vaincue. Elle

obtiendrait des collants avant ses *sweet sixteen*[5], tout comme elle mettrait le grappin sur ce Sherwood aux traits séraphiques.

La voix de Minnie la tira de ses préoccupations. Depuis combien de temps tambourinait-elle à la porte ?

— Mademoiselle Grace ? Mademoiselle Grace ?

La jeune fille se hâta d'aller lui ouvrir :

— Oui, qu'est-ce qu'il y a ?

Minnie répondit :

— Téléphone pour vous. C'est miss Brook. Elle me fait dire de vous dépêcher. Je ne sais pas ce qui lui arrive, mais elle m'a paru très excitée.

La domestique jeta un œil par-dessus l'épaule de Grace :

— Dites donc, qu'est-ce qui s'est passé ici ?

Grace ferma la porte sur le champ d'expérimentation vestimentaire et sourit :

— Oh ! c'est bon, je rangerai !

Minnie lui rendit son sourire et regarda Grace dévaler les escaliers, pieds nus et la chemise à moitié boutonnée. Que ses quinze ans lui paraissaient loin ! D'ailleurs, elle se demandait si elle avait eu un jour quinze ans.

---

5. Expression utilisée pour désigner le seizième anniversaire des jeunes filles. Aux États-Unis, il s'agit d'un véritable événement visant à célébrer le passage de l'adolescence à l'âge adulte.

Grace souleva le combiné :

— Allô ? Brook ?

— Grace ? Oui, c'est moi ! Alors, tu as entendu la nouvelle ?

Grace fronça les sourcils :

— La nouvelle ? Quelle nouvelle ?

— Au sujet de l'intégration, pardi ! Mais qu'est-ce que tu fais depuis ce matin, tu médites au fond d'une grotte ou quoi ?

« Presque », songea Grace. Brook parlait à toute vitesse, la nouvelle devait être sacrément importante.

— Qu'est-ce qui se passe ?

— L'action de la Ligue a porté ses fruits ! Le juge Reed a rendu son arrêt !

Grace ne voyait plus exactement de quoi il retournait, mais jugea préférable d'agir comme si elle maîtrisait parfaitement le sujet :

— Ah bon ? Et ?

— Et il a légiféré contre l'intégration, pardi ! Il paraît que même le gouverneur Faubus a témoigné pour appuyer les arguments de la Ligue. Ma mère est vraiment incroyable. Si elle avait été un homme, je suis sûre qu'elle aurait fait une brillante carrière politique.

— L'intégration est définitivement supprimée ? Ou simplement suspendue ?

— Je ne sais pas. À mon avis, dans les deux cas, on est tranquilles pour une bonne paire d'années. Ce n'est pas demain la veille qu'on devra se coltiner ces sales têtes de nègres sur les bancs du lycée !

Grace pouvait presque voir Brook, à l'autre bout du fil, les yeux brillants, en train de s'agripper au combiné laqué.

— Ma mère a fait imprimer des tracts à distribuer dans les boîtes aux lettres. On compte sur toi pour le faire dans ton quartier ? Je passe te les apporter, si tu veux.

À l'autre bout du fil, Grace crut distinguer la voix de Sherwood. Elle sauta sur l'occasion :

— Non, attends, je viens les chercher. Je m'apprêtais à sortir faire une course, de toute façon.

MOLLY

Chaque fois qu'elle réunissait ses neuf protégés, Maxene Tate répétait à l'envi que, grâce à eux, on vivrait un jour à Little Rock comme à Cincinnati. Les Noirs avec les Blancs. Norma Walls, qui n'avait que quatorze ans, la regardait avec des yeux émerveillés, tandis que Conrad Bishop, le plus âgé, ironisait sur leurs chances d'être portés en triomphe... ou sur l'échafaud.

Malgré les envolées de Maxene Tate, Molly avait toujours douté. Comment ce genre de chose aurait-il pu arriver ? En Arkansas, en 1957 ?

Aussi ne fut-elle qu'à demi surprise quand elle apprit la décision de la Cour d'État ce soir-là. Elle pressa le bouton « off » de la télévision. L'image se racornit, avant de disparaître dans un vortex électromagnétique.

— Voilà, c'est terminé. On aura presque eu un mois d'espoir. C'est mieux que rien.

Pragmatique, Erin rebondit :

— Bon, eh bien, je suppose qu'il va falloir que l'on retourne t'inscrire à Horace-Mann.

Molly se mordit la lèvre. À quelques jours de la rentrée, elle espérait qu'il y aurait encore une place pour elle. Et, surtout, qu'on ne lui ferait pas payer sa prétention d'avoir cru pouvoir étudier avec les Blancs.

Sa grand-mère lui tendit la rondeur de ses bras :

— Viens là, ma fille.

Alors qu'elle la rejoignait, Molly ne put s'empêcher de se trouver soulagée. L'intégration était suspendue ? Peut-être que ça valait mieux, après tout. Sa vie redeviendrait comme avant. Injuste, mais normale et rassurante. Avec des écoles minables, mais sans menaces de mort au téléphone.

Blottie dans l'odeur de sa grand-mère, elle sentit pourtant que la déception prenait le dessus. Quand, à son tour, elle serait grand-mère, elle n'avait pas envie de se retrouver à devoir expliquer à ses petits-enfants pourquoi ils ne pouvaient pas aller au parc d'attractions avec les Blancs.

Molly demanda :

— Qu'ont-ils à y gagner, au fond ? Pourquoi est-ce qu'ils tiennent tant à nous maintenir dans cette position ? Est-ce qu'ils ont peur de nous ?

— Sûrement, répondit Shiri après quelques instants. Le drame, finalement, c'est que l'on vit côte à côte, mais pas ensemble. On ne se connaît pas.

En silence, elle se mit à caresser les cheveux de sa petite-fille. Puis elle ajouta :

— Mais j'ai confiance en notre Seigneur. Qui sait, peut-être qu'Il a décidé que le chemin devrait être long. Pour qu'on apprécie encore plus l'arrivée.

Molly embrassa sa grand-mère. Elle aimait son optimisme, même si elle n'arrivait pas toujours à le partager.

■ ■ ■

Molly passa le week-end enfermée dans sa chambre. Par la fenêtre, elle regardait, sans les voir, les voitures qui défilaient dans la rue. Depuis quinze jours, elle s'était mise à imaginer des boules de neige de changements. C'était tellement simple. Pouvoir aller au théâtre ou à la bibliothèque. S'asseoir n'importe où dans le bus. Ne plus regarder ses pieds quand elle croisait un Blanc. Rêver à un autre avenir que bonne ou employée des postes et télégraphes. Espérer que pour eux aussi tout était possible. Alors oui, maintenant qu'elle savait que rien de cela n'arriverait, elle éprouvait plus de déception que de soulagement.

Le dimanche soir, alors qu'Erin et Shiri étaient parties se coucher, le téléphone sonna. Pieds nus, Molly se hâta d'aller décrocher pour ne pas les déranger. Maintenant que l'intégration avait été suspendue, elle redoutait moins l'appareil. Les insultes s'étaient déjà calmées. Il n'y avait eu qu'un appel anonyme de toute la journée.

— Molly, c'est Maxene Tate à l'appareil.

Le cœur de Molly se mit à tambouriner. Que voulait-elle ? À sa voix, il était clair qu'il ne s'agissait pas d'un simple appel de courtoisie. Ce qui, de plus, n'était pas du tout son genre.

— Ne retourne surtout pas t'inscrire à ton ancien lycée. Nos avocats ont mis en place une action en justice pour contrer la décision du juge Reed. Cette fois, nous allons porter l'affaire devant la Cour de district fédérale et il n'y a aucune raison que le jugement rendu ne nous soit pas favorable. Crois-moi, vous *irez* au Lycée central cette année.

— Mais la rentrée, c'est après-demain mardi !

— Je sais. Mais rien ne nous empêche d'y aller un peu après. Pour l'instant, nous devons attendre le jugement. Mais nous sommes confiants. Très confiants.

— Comment pouvez-vous en être certaine ? murmura Molly, qui, soudain, ne savait plus si elle devait se réjouir ou non.

Maxene Tate martela :

— La fin de la ségrégation dans les écoles publiques est une décision de la Cour suprême. Aucun État ne peut s'y opposer. Pour l'instant, reste tranquillement chez toi. Lundi, c'est le Labor Day[6], je ne pense pas que nous aurons des nouvelles d'ici là.

Molly raccrocha, pensive. Elle venait à peine d'apprivoiser sa déception que soudain tout était remis en question. On lui permettait à nouveau d'espérer. Alors, rester *tranquillement* à attendre que sa vie bascule ou non ? Facile à dire.

Une main se posa sur son épaule. Elle se retourna en sursaut. Sa mère la fixait, inquiète. Ses cheveux défaits moussaient autour de son visage.

— Ça va, ma chérie ? Qui était-ce ?

— Maxene Tate, répondit Molly, le regard mêlé de surprise et d'interrogation. Elle dit que rien n'est encore joué. Et qu'on va aller au lycée.

---

6. Fête du Travail, célébrée le premier lundi de septembre.

— Alléluia ! s'exclama Shiri, depuis le seuil de la cuisine.

La vieille dame leva les bras au ciel pour rendre grâce à son protecteur, avant de fêter ça en ouvrant le frigo, à la recherche de quelques douceurs à grignoter.

▪ ▪ ▪

Molly regardait le jour tomber. Le ciel avait pris une teinte rose orangé, qui baignait la rue d'une lumière étrange. Elle tira les rideaux puis alluma le ventilateur, qui ronronna quelques instants avant d'atteindre sa vitesse de croisière.

La jeune fille se laissa choir dans le canapé mou :

— Je suis contente d'être rentrée. La famille, c'est épuisant, parfois.

Shiri, déjà assise dans son rocking-chair, hocha la tête en souriant. Toutes trois avaient passé ce jour du Labor Day en famille, avec oncles et tantes, cousins et cousines, pour un dernier pique-nique avant la rentrée. Cette année, comme Molly l'avait pressenti, la majeure partie de la journée avait été consacrée à des discussions houleuses et des spéculations autour de l'intégration. Avec tous ces rebondissements, personne ne savait plus sur quel pied danser. Molly la première. En cette veille de rentrée officielle, elle n'avait aucune idée de la date à laquelle elle retournerait à l'école. Et, surtout, dans laquelle.

Léchant ses doigts collants de tarte aux cranberries, sa cousine Mae lui avait demandé, perplexe :

— OK, c'est plutôt cool, la déségrégation, l'égalité, tout ça. Mais, pourquoi toi ? Pourquoi tu n'attends pas qu'un autre cinglé de Noir fasse le boulot à ta place ?

Molly n'avait pas répondu. En fait, elle ne savait pas. Finalement, sa cousine avait raison. Pourquoi s'était-elle retrouvée là ? Est-ce que c'était le hasard ? Son destin ? Pourquoi avait-elle levé le doigt, ce jour-là ?

■ ■ ■

— Molly, c'est l'heure du journal télévisé. Veux-tu allumer ?

La jeune fille se dirigea vers le poste de télévision, appuya sur le bouton et flanqua l'habituel petit coup de poing sur le côté droit pour stabiliser l'image.

— Mais quel tas de ferraille ! marmonna Shiri. Il faudrait vraiment que l'on puisse changer cet appareil.

Molly ficha un petit coup de poing de l'autre côté. Sa grand-mère avait raison, ce n'était vraiment pas le moment que ce vieux tacot tombe en panne.

Soulagée, elle vit le présentateur du journal télévisé dégainer son habituel sourire de pantin. Elle retourna s'asseoir sur le canapé. Du bout des fesses seulement. Tout son corps était tendu vers le poste de télévision. Elle savait pertinemment que la Cour de district fédérale n'avait pas pu statuer un jour férié mais, qui sait, l'affaire aurait pu connaître un autre genre de rebondissement.

Installée derrière elle, sur la table de la salle à manger, Erin finissait de mettre de l'ordre dans ses classeurs. Elle aussi était nerveuse, mais pas tout à fait pour les mêmes raisons. Elle avait enfin trouvé un poste d'enseignante dans une école noire, et commençait le lendemain.

« Comme chaque soir, nous ouvrons ce journal télévisé sur l'événement qui nous occupe tous depuis des semaines, vous le savez, l'intégration des neuf Afro-Américains au Lycée central de Little Rock. Avant de revenir sur les derniers développements, je vous prie d'accueillir notre gouverneur, mister Orval Faubus, qui a une annonce à faire à la population. »

— Le gouverneur ? s'exclama Molly. Mais qu'est-ce qu'il a à voir là-dedans ?

— Normalement, rien ! Alors tout cela ne me dit rien qui vaille, s'inquiéta Erin. Depuis qu'on l'a accusé de faire le jeu des communistes, Faubus est plus à droite que la plupart des républicains.

Shiri s'était levée de son rocking-chair, qui continuait à osciller :

— Chuut, mais laissez-le parler !

« C'est donc pour garantir la sécurité de nos concitoyens que j'ai pris la décision d'envoyer, dès ce soir, les forces de l'ordre pour empêcher ces neuf étudiants noirs d'intégrer le Lycée central au cours des prochains jours. »

Molly cria en direction de la télé, comme si elle s'adressait au journaliste :

— Mais pourquoi ? En plus, la Cour de district fédérale n'a même pas encore rendu son jugement !

— Justement, c'est peut-être bien parce que Faubus se doute qu'il n'a aucune chance de l'emporter ! répliqua Erin.

— Mais Maxene Tate ne nous a toujours pas donné son feu vert pour…

— Shhhhhhh !

« Ils ne seront pas là en tant que ségrégationnistes ou intégrationnistes, mais comme des soldats appelés à servir une tâche qui leur est assignée. Car, selon moi, il ne sera pas possible de maintenir l'ordre et de protéger les vies de nos concitoyens si une intégration forcée se produisait dans les prochains jours au Lycée central de Little Rock. »

Molly fixait sans ciller le visage du gouverneur.

Elle sentait monter en elle une colère acide, qu'elle n'avait encore jamais ressentie.

Elle en fut surprise. C'était comme si elle se découvrait étrangère à elle-même. Mais, pas de doute, le sentiment était bien là, et Molly brûlait de déverser sa colère sur le gouverneur, sur son affreuse petite figure de rat.

Elle repensa aux paroles de Vince. La veille, il était venu la voir, pour lui apporter un livre. C'était bien le seul de ses amis qui osait encore se montrer en compagnie des Costello.

Molly avait été profondément touchée. Alors qu'elle le raccompagnait sur le pas de la porte, il avait dit :

« Pas étonnant qu'ils nous accusent de tous les maux. Ils s'acharnent à nous pousser à bout et s'étonnent ensuite qu'on puisse réagir. C'est leur faute à eux, ce n'est pas dans *notre* nature. »

Vince avait raison. D'ailleurs, si elle avait eu ce chien de Faubus en face d'elle, elle aurait eu envie de lui cracher dessus.

« *Driiiiiiiiiiiiiiing.* » La sonnerie du téléphone fit sursauter Molly. Galvanisée par l'irritation, elle lança :

— Laissez, j'y vais.

Elle souleva le combiné.

— Salopes de négresses. On a trouvé l'adresse de votre trou à rats. Faubus n'a pas besoin d'envoyer les soldats. Demain, à cette heure-ci, vous serez raides.

Molly jeta violemment le téléphone. C'en était vraiment trop.

Erin se précipita pour raccrocher le combiné qui pendouillait lamentablement au bout du cordon.

— Pardon, murmura Molly à qui voudrait bien l'entendre.

Sa colère était tombée comme une pomme trop mûre. Dessous, il y avait de la fatigue et ses premiers regrets.

— Pardon pour quoi ? répliqua sa grand-mère.

Elle n'attendait pas de réponse, étant donné qu'il ne s'agissait pas vraiment d'une question.

Ce soir-là, Shiri alla chercher le revolver qu'elle conservait dans une mallette en cuir, tout au fond de son armoire, sous les épais draps de coutil. C'était la première fois que Molly la voyait le sortir. Puis Shiri s'installa au salon, sur son rocking-chair, et commença à chanter des prières.

— Allez vous coucher, ordonna-t-elle. Erin, tu as une grosse journée demain. Quant à toi, Molly, tu as besoin de sommeil.

Shiri semblait bien décidée à veiller toute la nuit. En la regardant se balancer d'avant en arrière, le revolver sur les genoux, Molly ajouta la culpabilité à la palette de sentiments que ce combat, qu'elle avait seulement trouvé *juste*, faisait naître dans son cœur et dans sa chair.

■ ■ ■

— Il est dix-sept heures, ta mère ne va plus tarder, fit remarquer Shiri en laissant retomber sa montre de gousset sur sa poitrine rebondie.

Par réflexe, Molly vérifia sur l'horloge du salon.

— J'espère que sa journée s'est bien passée.

— Je vais l'attendre dans l'allée. Reste à l'intérieur.

— Mmmh-mmh, fit Molly en se remettant dans son livre.

Toute la journée, elle avait tenté de se plonger dans les pages de *Sur la route*, le roman que Vince lui avait prêté. Il paraît que l'auteur l'avait écrit en trois semaines, sur un rouleau de papier de trente-six mètres de long. En tout cas, Vince lui avait promis qu'elle ne pourrait plus le poser. Mais il menait une vie normale, lui. Rien ne l'empêchait de se concentrer sur ce qu'il lisait.

Molly tourna quelques pages à l'envers pour tenter de reprendre le fil de l'histoire. Le téléphone se remit à sonner.

Ses doigts se refermèrent autour du livre, si fort que ses articulations pâlirent. Elle tenta de masquer le bruit en plaquant ses mains sur ses oreilles. Peine perdue, elle l'entendait encore très bien lui vriller les tympans.

— La plaie ! rugit-elle en balançant l'histoire de Sal Paradise sur le téléphone.

Encore raté. Le livre s'échoua à côté.

Il y avait eu seize appels dans la journée. Il n'y en aurait pas un de plus. Molly souleva le combiné et raccrocha aussitôt. Tant pis. Qui que ce soit, qu'il aille se faire voir.

Soulagée par sa prise de décision, elle alla chercher un vinyle de Nat Cole, qu'elle plaça sur le tourne-disque du salon. Elle préférait Elvis, mais, ce soir-là, elle avait tout sauf envie d'entendre un chanteur blanc, fût-il capable de provoquer des évanouissements rien qu'en ondulant les doigts.

Elle souleva le bras articulé du tourne-disque et le posa délicatement sur le vinyle. C'était un cadeau de son père, elle y tenait. Elle enclencha le bouton et, après quelques secondes chuintantes, les premières notes emplirent le salon.

Unforgettable,
that's what you are...

Elle adorait cette chanson. D'ailleurs, ce serait certainement celle qu'elle choisirait pour immortaliser ses *sweet sixteen*, à la fin de l'année.

La voix du chanteur disparut derrière une nouvelle agression téléphonique. Molly fixait le combiné. Cela ne s'arrêterait donc jamais ? La dernière fois qu'elle avait décroché, une voix étouffée lui avait susurré des menaces si crues qu'elle en avait eu un haut-le-cœur. Elle se retourna vers le tourne-disque et poussa le son. Les dents serrées, elle continua à chanter. Plus fort.

Like a sooooooooooong of love
that cliiiiiiiings to me...

Mais la sonnerie continuait, désespérante de persévérance et de régularité. Molly sentit les premières larmes arriver. Ses yeux tombèrent sur le livre que Vince lui avait prêté. Et si c'était lui qui essayait de l'appeler ? Qu'il aurait été bon d'entendre sa voix. Elle aurait pu passer la fin de l'après-midi à rêvasser, à imaginer les circonstances de leur futur premier baiser. Pour elle, il était tellement plus qu'un ami. Mais, depuis quinze jours, elle avait l'impression que toutes ses préoccupations d'adolescente avaient été reléguées au fond d'un placard, bien tassées sous une grosse machine à écrire de secrétaire en fin de carrière.

Quelques secondes plus tard, Erin et Shiri poussèrent ensemble la porte d'entrée. Elles trouvèrent Molly postée devant le téléphone, les bras ballants, comme si elle ne comprenait pas ce que l'appareil attendait d'elle. Dans le salon, le tourne-disque continuait à donner tout ce qu'il pouvait.

— À partir de ce niveau sonore-là, même une douce mélodie devient insupportable, murmura Erin en se précipitant pour arrêter la musique. Veux-tu que je décroche ? demanda-t-elle quand le calme fut revenu.

Pour toute réponse, Molly s'enfuit en direction de sa chambre. Erin la regarda s'éloigner, le cœur étouffé. Quel ravage ce devait être dans la tête de sa petite fille… Seigneur, elle n'avait que quinze ans !

Très égoïstement, elle aurait préféré que tout cela ne se soit jamais produit. Mais, parallèlement, comment ne pas être fière de son enfant ?

Elle inspira un grand coup et souleva le combiné :

— Erin Costello à l'appareil.

— Erin, c'est à nouveau Maxene Tate. On m'a raccroché au nez. Pendant quelques instants, j'ai eu peur que vous ne vouliez plus me parler.

Comme d'habitude, la voix de la présidente de la NAACP était forte et assurée. Malgré le trait d'humour de son interlocutrice, le cœur d'Erin s'emballa. Si Maxene Tate appelait, c'est que le jugement avait dû être rendu.

— Le juge de district fédéral Ronald Davies a statué. Il ordonne que l'intégration commence demain mercredi 4 septembre. L'annonce vient d'être faite sur toutes les radios.

— Mais, et les troupes du gouverneur... ?

— Les soldats seront bien devant le lycée. Reste à voir s'ils oseront nous empêcher d'y rentrer. La justice est de notre côté.

Erin demanda :

— À quelle heure, où doit-on...

— Il n'est pas question que chacun y aille par ses propres moyens, c'est trop dangereux. Nous irons tous ensemble. Nous serons là pour accompagner les enfants et les protéger. Rendez-vous demain à huit heures dans le petit parc, sur la 12e Rue. Vous voyez où il se situe ? C'est une rue parallèle au lycée.

Derrière le combiné, Erin hocha la tête. Elles trouveraient bien.

Maxene Tate marqua une pause avant de reprendre :

— Préparez-vous à ce que les appels et menaces redoublent d'intensité. À partir de maintenant, ne laissez pas Molly sortir seule de la maison. D'ailleurs, évitez même de sortir si cela n'est pas nécessaire. Demain matin, quand vous nous rejoindrez, faites très attention. Il faut s'attendre à des manifestations de… mécontentement.

— Très bien, j'y veillerai.

— Parfait.

Maxene Tate se tut quelques secondes et ajouta :

— Erin ?

— Oui.

— Vous savez, tout cela ne fait que commencer.

Erin raccrocha le téléphone et se dirigea vers la chambre de sa fille. Puis elle revint sur ses pas, pour débrancher l'appareil.

GRACE

Robert Anderson éteignit le poste de radio et passa une main dans ses cheveux gominés. Ils étaient si noirs que Grace se demandait toujours par quel mystère son frère et elle avaient pu naître si blonds.

Elle scruta le visage de son père pour essayer d'y lire son sentiment sur ce qu'ils venaient d'entendre.

« Bravant les mises en garde du gouverneur Faubus et des diverses associations blanches de la ville, neuf étudiants noirs feront donc leur rentrée demain mercredi au Lycée central de Little Rock. Comment la journée finira-t-elle ? Tous les scenarii sont possibles ! » avait lancé le journaliste comme s'il s'agissait d'un excitant combat de catch.

À l'autre bout de la cuisine, Mrs Anderson se mit à découper frénétiquement le rôti qu'elle venait de sortir du four. Visiblement très nerveuse, elle se débattait avec les fils qui semblaient résister à toutes ses tentatives.

— Aïe ! cria-t-elle quand la pointe du couteau s'enfonça dans sa main.

Robert Anderson s'approcha d'elle et lui tendit son mouchoir :

— Mais pourquoi diable n'as-tu pas demandé à Minnie de le faire ?

Mrs Anderson plaqua le tissu sur la coupure :

— Elle m'a demandé la permission de partir plus tôt, le soir. Elle tient à récupérer elle-même ses enfants à l'école, à cause de l'intégration. Elle a peur des agressions. Robert, qu'est-ce que tu en penses ? Crois-tu qu'il soit prudent de laisser Grace et Keith aller en cours demain ?

Son mari lui saisit la main. Il souleva le mouchoir pour examiner la coupure :

— Je ne crois pas qu'il faille s'inquiéter outre mesure. Dans cette histoire, ce ne sont pas nos enfants qui ont le plus à craindre. Si danger il y a, c'est certainement pour ces neuf malheureux qui s'acharnent à vouloir intégrer le lycée.

Keith, le frère aîné de Grace, hocha la tête. Beaucoup de groupuscules extrémistes étaient prêts à en découdre pour défendre les prérogatives des Blancs, quels que soient les moyens qu'il faudrait employer.

À dire vrai, on prévoyait une journée d'enfer.

Mais Keith jugea bon de taire ce qu'il savait, afin de ne pas inquiéter sa mère. Il n'avait aucune envie de rester coincé à la maison alors que tous ses copains assisteraient au spectacle de l'année.

La réponse de son mari était loin d'avoir rassuré Mrs Anderson. Elle répliqua :

— Eh bien, justement ! Si le gouverneur avait raison ? Si une émeute se produisait et que, dans l'agitation, les enfants étaient blessés ? Je ne pourrais pas me le pardonner.

Keith intervint :

— Les soldats seront là pour maintenir l'ordre, maman. Je suis du même avis que papa, je crois que nous n'avons rien à craindre.

Mrs Anderson soupira :

— Bon, soyez prudents et restez dans vos classes. Ne sortez pas quand ces étudiants feront leur entrée au lycée, c'est compris ? Si jamais…

Keith lui coupa la parole :

— OK, maman, OK. Allez, fais voir ce rôti.

Il lui prit son couteau des mains :

— On ne va quand même pas laisser ces nègres nous gâcher le dîner.

MOLLY

Molly se réveilla en sursaut.

En bas. Le choc venait d'en bas. Un horrible bruit de verre brisé.

Ça y est, ils avaient mis leurs menaces à exécution.

Et sa grand-mère qui avait tenu à monter la garde une nouvelle fois. Seigneur, pourvu qu'il ne lui soit rien arrivé.

Tout en se précipitant à bas de son lit, Molly hurla :

— Grand-mère, tout va bien ?

Elle se jeta littéralement dans les escaliers, manquant d'entrer en collision avec sa mère. Elle s'agrippait à sa chemise de nuit, les yeux exorbités, la bouche entrouverte. Éclairée par la lueur froide de la lune, la rencontre était quasiment surnaturelle. C'était toujours étrange de constater à quel point la nuit pouvait tout amplifier.

Le souffle court, les deux femmes déboulèrent en trombe dans le salon.

Face à la baie vitrée, Shiri leur tournait le dos. L'espace d'un instant, Molly l'imagina tomber en arrière, la poitrine écarlate. Elle se coucherait sur elle et hurlerait dans l'odeur tiède et métallique de son sang.

Puis elle la vit. À travers le trou de la fenêtre, à l'extérieur, sur la pelouse.

Léchée d'immenses flammes, une grande croix du Ku Klux Klan.

GRACE

Dans son pull qui lui marquait bien la taille, Grace se sentait particulièrement jolie. Elle avait mis une touche de rose sur ses joues, un peu de brillant sur ses lèvres. Juste ce qu'il fallait. On n'était pas dans un concours de clown.

— À tomber ! Vous pourriez réveiller un mort ! avait conclu Minnie, après avoir vérifié que la jupe de la jeune fille était parfaitement repassée.

— Alors ce sera facile, avait répondu celle-ci, parce que Sherwood est encore vivant !

Grace avait tout prévu. Le jeune homme discutait tous les matins avec ses amis, devant l'escalier du lycée. Elle passerait donc devant lui en faisant mine d'être surprise de le rencontrer. Ça ne lui faisait pas peur, elle était très douée pour jouer la comédie. Elle planterait ses yeux dans les siens et une conversation quelconque s'ensuivrait. Même si elle ne trouvait pas quelque chose de fulgurant à dire, elle comptait bien sur son éclat pour faire le reste à sa place.

Seulement, elle devait bien reconnaître que cette connerie d'intégration venait contrecarrer tous ses plans. Ça avait commencé dès le centre-ville, avec des embouteillages à n'en plus finir. Dans la Cadillac noire, sa mère tapotait nerveusement le volant, et Grace avait bien cru qu'elle finirait par rebrousser chemin. Heureusement que son frère avait insisté.

Quand, enfin, Grace arriva devant le lycée, elle comprit vite qu'il ne faudrait pas espérer discuter tranquillement avec qui que ce soit. On ne voyait même plus la façade de l'établissement.

Une foule incroyable était massée devant l'école. Les trottoirs étaient noirs de Blancs. Certains souriaient, assis sur la pelouse, d'autres discutaient, adossés aux arbres. Il y avait même des femmes avec des petits dans des poussettes. Un homme souriait, accoudé sur une pancarte qui indiquait « Interdit aux nègres et aux chiens ».

— Tout cela paraît plutôt bon enfant, finalement. Maman avait bien tort de se ronger les sangs, dit-elle à Keith.

— Attends un peu que les négros arrivent ! répondit-il en souriant.

Grace grimpa les marches du lycée sous le regard des soldats de la garde de l'Arkansas, et dut bien reconnaître que l'expérience était plutôt perturbante.

MOLLY

— N'oublie pas ! Dieu est avec toi ! chuchota Shiri à sa petite-fille.

Sous le porche de la maison, Molly embrassa sa grand-mère. L'inquiétude se lisait dans le regard cerné de la vieille femme, mais elle essaya de ne pas y penser. La nuit avait fini par s'en aller. Le grand jour était arrivé.

Elle descendit les marches pour rejoindre la voiture. Même si elle s'était promis de ne pas regarder, ses yeux furent automatiquement attirés par le coin de pelouse où la croix avait été plantée.

La nuit précédente avait été pire que tout ce qu'elle avait pu imaginer. Le parpaing, les flammes, les visages horrifiés des voisins, les sirènes hurlantes et les « Putain mais on vous l'avait pourtant dit, vous voulez tous nous faire tuer ! ». On se serait cru dans un film.

À deux heures du matin, les pompiers avaient finalement éteint le feu et démonté la croix, pendant que Molly essayait de boire une infusion de cannelle et de bleuet, prostrée dans la cuisine, en compagnie de Maxene Tate et d'autres membres de la NAACP. Tous tentaient de relativiser. Ce n'était que de l'intimidation. Personne ne leur ferait rien, leur célébrité médiatique leur garantissait une sécurité certaine. Même sa grand-mère semblait partager leur opinion. Dieu était à leurs côtés. Il ne les laisserait pas tomber.

Molly ne savait pas ce qu'elle aurait fait s'ils n'avaient pas été là, confiants et déterminés, à décider pour elle, à lui donner l'impression qu'elle pouvait tout changer. Quand l'aube avait pointé, elle avait pu s'endormir, légèrement apaisée.

Molly détourna son regard de la trace noire. Combien de temps la pelouse mettrait-elle pour repousser ? Peut-être pourrait-on mettre de l'engrais ?

Elle ouvrit la portière de la Pontiac de sa mère. Erin l'attendait au volant, un faible sourire au coin des lèvres. Elle avait soigneusement lissé ses cheveux en arrière, ce qui rendait ses pommettes encore plus saillantes.

— On y va ? Tu es toujours décidée ?

Molly hocha la tête. Maxene Tate en avait parlé toute la nuit. Rosa Parks, Montgomery, les marches de la liberté. Le mouvement était lancé, rien ne pourrait l'arrêter. Aussi angoissantes qu'elles soient, les menaces et les manœuvres d'intimidation étaient normales. Elles montraient que la voie du changement était tracée. Ce n'était pas le moment d'abandonner.

Prudente, Erin ajouta :

— Tu sais, si tu changes d'avis, je ne t'en voudrai pas.

Molly inspira un grand coup et répondit :

— Je suis prête. On y va. Vas-y, démarre.

Alors que le moteur ronflait, la jeune fille pressa le bouton de la radio :

« Plusieurs centaines de citoyens sont déjà rassemblés devant le Lycée central. Aux cris de protestation se mêlent les injures et les drapeaux de diverses associations venues défendre leurs droits. La Ligue des mères blanches est particulièrement bien représentée, avec… »

Erin coupa la retransmission :

— On n'a pas besoin d'entendre ça.

— Maman, regarde, murmura Molly, la tête tournée vers l'extérieur.

Depuis le trottoir, les habitants du quartier regardaient passer la Pontiac des Costello, le visage grave. Les femmes tenaient leurs petits serrés contre leur jupe. Les hommes restaient sans bouger, les mains enfoncées au fond des poches. Une vraie caricature. En apercevant des visages plus familiers, Molly tenta quelques saluts de la main, que personne ne lui retourna.

Pourquoi l'observait-on comme ça ? Tout le monde ne la voyait donc que comme une coupable, une folle dangereuse ? Personne dans cette ville n'avait envie de faire bouger les choses ? Personne n'avait entendu parler du pasteur Martin Luther King ?

En y réfléchissant bien, il est vrai que ceux qui lui donnaient encore raison n'étaient pas si nombreux. La plupart avaient peur des représailles. Même Suzanna ne donnait plus signe de vie. L'employeur de sa mère l'avait mise en garde : s'ils continuaient à témoigner un quelconque soutien aux Costello, son emploi ne serait plus garanti. Avec six bouches à nourrir, les parents de Suzanna avaient vite tranché.

À l'approche du lycée, la voiture fut quasiment stoppée. Comme ils l'avaient annoncé à la radio, un important embouteillage paralysait l'avenue. Un retentissant concert de Klaxons l'accompagnait.

— C'est fou ! cria Molly en avisant certaines

plaques d'immatriculation. Il y a même des gens qui viennent du Texas !

Erin hocha la tête. Jamais elle n'avait vu pareille affluence dans les rues de Little Rock. Elle espéra que certains avaient fait le déplacement pour les soutenir. Statistiquement, l'hypothèse était probable, non ?

Elle s'arrêta derrière une file de voitures stationnées sur un terre-plein.

— Garons-nous ici, le lieu de rendez-vous n'est pas si loin, nous pouvons marcher. J'ai l'impression que, de toute façon, nous n'irons guère plus loin.

Molly et sa mère descendirent de voiture.

En posant son pied sur le bitume, Molly sentit ses intestins se tordre. Comment la journée allait-elle se passer ? Qui allait les accueillir au lycée ? Dans quelle classe serait-elle affectée ? Serait-elle avec Sincerity et Madeleine ? Le principal Thomson ne s'était pas particulièrement étendu sur les détails pratiques, ceux dont on a besoin pour se rassurer et que l'on n'ose jamais demander, de peur de paraître ridicule ou trop terre-à-terre.

— Molly, tu viens ?

La jeune fille rejoignit sa mère et toutes deux se firent happer par le flot de personnes qui remontaient l'avenue en direction du lycée. Du regard, Molly chercha nerveusement quelques visages noirs, qu'elle ne trouva pas.

Alors qu'elles marchaient vers le lieu de rendez-vous, impatientes de se retrouver avec les autres, Molly remarqua que le brouhaha commençait à prendre forme. On martelait des slogans, mais elle n'arrivait pas encore à les comprendre.

Elle mit sa main en visière pour se protéger du soleil : où qu'elle regarde, c'était du monde à n'en plus finir. Des jeunes, des vieux, des femmes, des hommes, qui criaient, qui couraient, qui hurlaient. D'autres qui brandissaient leur poing ou des drapeaux, des policiers qui observaient. La jeune fille sentit à nouveau ses intestins se vriller. Honnêtement, tout cela était loin d'être encourageant.

Quelques mètres plus loin, le passage était définitivement bloqué. Impossible pour Molly et sa mère de rejoindre le lieu de rendez-vous, à moins d'avoir le courage de jouer des coudes dans une marée de Blancs. Erin murmura :

— Ce n'est pas prudent de rester ici.

Elle lui désigna une ruelle perpendiculaire, quelques mètres plus bas.

— Viens, on va couper par là. On gagnera quelques centaines de mètres et on évitera de passer devant le lycée. Je pense qu'on sera alors tout près du petit parc où Maxene Tate nous attend.

Molly regarda autour d'elle et eut à nouveau le sentiment qu'elles n'auraient pas dû descendre de la voiture. Elle entendait maintenant très bien les cris lancés par la foule.

Elle devait se rendre à l'évidence : personne n'était là pour les soutenir. Et si Tate s'était trompée ? Si, à Little Rock, le mouvement échouait ? On était dans un État sudiste. Peut-être qu'on avait sous-estimé l'importance de cette donnée.

Molly essaya de rester calme. Objective. Pour le moment, personne ne s'intéressait à elles : l'attention de tous semblait focalisée quelques centaines de mètres plus loin, près du lycée. Dieu sait ce qui s'y passait. De plus, Sud ou pas, Little Rock était une cité tranquille et policée. Aucune émeute raciste n'avait jamais été déplorée.

À la suite de sa mère, Molly s'engagea dans la ruelle. C'était un passage sombre et étroit, qui s'enfonçait entre des entrailles de briques rouges. Instinctivement, Molly eut envie de rebrousser chemin. Si elles y croisaient un groupe de Blancs, que se passerait-il ? Elle s'arrêta, hésitante. Mais sa mère était déjà devant. Molly se mordit la lèvre. Trop tard pour faire marche arrière.

Molly reprit sa course. Imitant sa grand-mère, elle essaya de prier pour se donner du courage. Et se sentir moins seule. « Seigneur Tout-Puissant, donne-moi la force de continuer. » Elle tourna une fois à droite. Ses pas résonnaient, leur bruit amplifié par l'étroitesse du passage. « Conduis-moi sur le chemin que Tu as tracé. » Entama une ligne droite, en parallèle de la rue où la foule se massait, là, au même moment. Cette pensée était terriblement angoissante. « Que Ta volonté soit faite. Amen. » Elle arriva à un croisement de ruelles. Elle tourna la tête sur la gauche. Erin n'y était pas. Sans y croire, Molly regarda de l'autre côté et l'aperçut pourtant. Si insensé que cela puisse paraître, elle marchait droit vers la sortie, vers l'épicentre de la manifestation.

— Mais qu'est-ce que tu fais, maman ? lança Molly, le moins fort possible.

Erin mit le doigt sur sa bouche et fit encore quelques pas. Visiblement, elle tenait à savoir ce qui se passait en haut de l'avenue.

À contrecœur, Molly s'approcha. Elle espérait qu'ensuite elles feraient vite demi-tour pour rejoindre Maxene Tate et les autres étudiants. Ils ne les attendraient pas encore longtemps.

D'ailleurs, si ça se trouve, ils étaient peut-être déjà partis.

Quand elle arriva à hauteur de l'épaule de sa mère, Molly vit soudain vers quoi tous les regards convergeaient.

Dans sa jolie jupe à carreaux, l'un d'entre eux, l'un des « neuf », était seul face au lycée. Madeleine Stanford était en effet prise en étau entre des centaines de Blancs et les soldats du gouverneur. Les uns hurlaient, visiblement fous de rage, le poing levé et le visage déformé, tandis que les autres pointaient leur fusil vers elle, l'empêchant d'accéder au double escalier de pierre qui menait aux portes de l'établissement.

Agrippée à ses livres, misérables bouées, Madeleine essayait de rester droite, mais son regard était désespéré. On aurait très exactement dit celui d'un animal pris au piège. Clairement, elle ne savait pas où aller.

— Mais qu'est-ce que cette malheureuse Madeleine fabrique ici ? demanda Erin, horrifiée.

Dans un éclair de lucidité, Molly se souvint que Madeleine était la seule d'entre eux à ne pas avoir le téléphone. Elle n'avait pas dû être prévenue.

Molly réfléchissait au moyen d'alerter discrètement des secours quand une voix lui glaça le sang :

— Deux négresses ! Deux négresses dans la ruelle !

Un peu plus loin, un homme pointait son index droit sur elles. Son doigt paraissait démesurément long.

— Cours Molly, cours ! cria sa mère en se débarrassant de ses chaussures. À la voiture !

Toutes deux repartirent en sens inverse. Regagner le véhicule était l'option la plus raisonnable, en l'absence de garantie de retrouver les autres dans le petit parc.

Le cœur battant, Molly ne put faire autrement que d'oublier complètement Madeleine. Elle ne pensait qu'à une chose : s'enfuir, le plus vite possible.

Derrière elles, une grappe de Blancs s'était lancée à leur poursuite. En se retournant, Molly eut le temps de remarquer que l'un d'entre eux avait une corde à la main. Elle crut sentir les fibres rêches lui brûler la peau du cou.

Molly continuait à courir derrière sa mère, qui criait pour l'encourager.

— Ne t'arrête pas ! Regarde-moi, ne t'arrête pas !

La voix d'Erin ricochait sur les parois, emplissant le crâne de la jeune fille. Molly tenta d'accélérer la cadence. Elle courait aussi vite que possible, mais se rendait bien compte qu'elle n'était pas taillée pour ce genre d'effort, surtout face à plusieurs hommes en pleine force de l'âge. Elle n'atteindrait jamais cette maudite voiture et finirait le crâne défoncé à coups de pied, comme ce type de Jacksonville, dont on avait tant parlé, avant l'été.

Les cris se rapprochaient. Molly n'osait plus se retourner, de peur de perdre du temps ou, pire, de trébucher. Ne pas tomber. Surtout ne pas tomber.

Dans un dernier sursaut de vigueur, Molly trouva les ressources pour terminer sa course. Elle déboula de la ruelle, jouant des coudes à travers la foule heureusement plus clairsemée que devant le lycée.

Quelques mètres plus loin, Molly se jeta par la portière ouverte de la Pontiac. Le véhicule démarra en trombe, laissant derrière lui une odeur de peur et de caoutchouc brûlé.

GRACE

Accoudée à la fenêtre de sa classe en compagnie de Brook, Dorothy et Judy, Grace regardait ce qui se déroulait en contrebas, devant le lycée.

Jamais personne n'avait vu un rassemblement pareil, « même pour un match des All Stars », avait assuré Anton, le capitaine de l'équipe de base-ball.

Devant l'ampleur du phénomène, leur professeur n'avait pas tenté de commencer à faire cours. Comme ses élèves, elle était hypnotisée par l'événement, n'essayant même plus de dissimuler sa curiosité derrière les stores d'aluminium. D'ailleurs, elle les avait complètement relevés.

— Il doit bien y avoir deux mille, ou trois mille personnes, non ? demanda Grace en se tournant vers Brook.

Son frère avait dit vrai : depuis que l'une des neuf étudiants noirs avait fait son apparition, l'ambiance avait totalement basculé. Les panneaux et les banderoles s'étaient hissés, les cris, les sifflets et les hurlements fusaient de tous côtés. La clameur résonnait contre les murs du lycée, et Grace avait l'impression qu'elle lui éclaboussait la figure.

Sans détourner le regard, Brook hocha la tête :

— Il paraît que des gens sont venus de Louisiane et de Géorgie. Il y a plein de membres du Klan, c'est Sherwood qui me l'a dit.

En entendant le prénom du garçon, Grace sentit son cœur battre légèrement plus vite. Toujours à l'affût d'une occasion lui permettant de parler de lui, elle demanda :

— Ah bon ? Comment est-ce qu'il le sait ?

Brook haussa les épaules :

— J'imagine qu'ils l'ont dit à la radio. Hé, regardez, il y a ma mère !

Dorothy cria :

— Ah oui ! Et la mienne aussi, à côté !

Toutes deux se mirent à agiter frénétiquement le bras pour capter leur attention.

Grace plissa les yeux et mit quelques secondes avant d'apercevoir les membres de la Ligue. Elles formaient un groupe homogène de femmes issues de la bonne société, pour la plupart mères au foyer, mariées à des notables de la ville. Toutes vêtues de blanc, elles criaient en brandissant des banderoles qu'elles avaient dû s'appliquer à coudre en sirotant du thé à la bergamote. La mère de Dorothy avait le poing levé et sa mise en plis semblait déjà un peu distendue. Regardant leurs traits déformés, Grace trouva qu'elles avaient l'air de tout sauf de femmes qui se voulaient distinguées. Elle ne put s'empêcher d'être soulagée que sa mère ait toujours souhaité rester en dehors de la Ligue. Cette troupe de bonnes femmes échevelées ne lui inspirait que du mépris.

Constatant que sa mère ne la verrait pas, Brook finit par baisser le bras.

Son regard se tourna à nouveau vers l'épicentre de la scène, là où tous les regards convergeaient. La jeune fille était toujours immobile.

— Qu'est-ce qu'elle va faire ? On dirait un hamster, vous ne trouvez pas ?

Judy secoua la tête :

— Ah non, les hamsters, c'est blanc.

Dorothy répliqua en riant :

— Oui, mais ça pue !

Grace ne sourit pas. Elle était absorbée par la scène, comme au cinéma. Voyant que les soldats de la garde nationale ne la laisseraient pas passer, la fille avait commencé à obliquer sur la gauche, ses livres serrés contre sa poitrine. Le niveau sonore monta d'un cran, la foule se rapprocha autour de la jeune fille qui marchait lentement, le long des soldats qui pointaient toujours leurs fusils contre elle. Grace songea qu'elle n'avait pourtant rien d'une terroriste.

Elle eut un mauvais pressentiment. À tout moment, la situation pouvait dégénérer et la fille pouvait se retrouver étouffée, écrasée, piétinée par la foule excitée. Elle se recula très légèrement.

Ce fut un jeune homme vêtu d'une veste à carreaux qui fit le premier pas. Il attrapa violemment la Noire par la robe et en déchira un morceau, tandis que d'autres s'étaient rapprochés très près, pour lui hurler dans les oreilles. La fille rentra la tête dans les épaules et mit les livres sur sa tête. Une grande femme à la carrure masculine lui cracha dans le dos.

— Bingo ! cria Brook.

Elle se tourna vers ses amies :

— Vous croyez qu'elle va s'en tirer, la négresse ?

Dorothy ajouta :

— Je ne sais pas, mais, en tout cas, on nous en avait promis neuf et il n'y en a déjà plus qu'une ! Où sont les autres ? Ces Noirs sont aussi laids que dégonflés !

Grace ne répondit pas. Elle était à la fois terrifiée et fascinée.

— Hé, mais qu'est-ce qu'elle fait ? demanda Brook, comme la fille courait vers l'arrêt de bus.

Brook, Judy et Dorothy se penchèrent encore plus à la fenêtre, s'étirant pour mieux voir.

— Je ne sais pas.

Grace n'osait plus bouger, comme si c'était elle qui se trouvait à la place de la jeune fille noire. Qu'allait-il se produire maintenant ? Cette fille était complètement folle pour s'asseoir ainsi alors qu'il s'en fallait de si peu pour que le rassemblement se transforme en véritable émeute.

Les soldats n'avaient toujours pas bougé.

« En tout cas, ceux-là ne semblent pas avoir été envoyés pour empêcher qu'un Noir se fasse tuer », pensa Grace.

C'est alors que, sous ses yeux stupéfaits, un homme et une femme vinrent s'asseoir sur le banc, de chaque côté de Madeleine. Ils étaient blancs.

Pendant quelques instants, la surprise fit taire les insultes.

Après avoir compris que le couple était là pour empêcher que la foule ne saute sur Madeleine, Dorothy lança :

— Mais qui sont ces deux abrutis ?

— Des saletés de progressistes ! fulmina Brook. Pourquoi personne ne les fait pas dégager ?

Dans la foule comme dans la classe, les cris avaient repris de plus belle. Sa jupe étalée sur le banc, Madeleine restait assise, le dos voûté. Grace se demandait comment elle faisait pour ne pas hurler de terreur, ou s'enfuir en courant. Peut-être tout simplement n'était-elle pas consciente du danger qu'elle encourait ?

Quelques minutes plus tard, le bus arriva, et Grace ne put s'empêcher de se sentir soulagée.

Le couple entoura Madeleine et monta dans le véhicule avec elle. Grace jeta un œil à Brook et Dorothy qui s'étaient mises à pousser des hurlements de bête. À leurs côtés, Judy se taisait. Grace se demanda si son attitude était due à sa réserve ou si, comme elle, elle plaignait la fille, fût-elle noire comme un singe.

Le bus redémarra. Une pierre fit voler une vitre en éclats, tandis que plusieurs hommes tentaient de faire barrage pour empêcher le véhicule d'avancer.

Dans la classe, un garçon leva le poing en signe de victoire :

— Ségrégation hier, ségrégation demain ! Pas de nègre avec les Blancs !

■ ■ ■

Grace grimpa les marches du double escalier de pierre. Après l'échec de leur rentrée, une dizaine de jours plus tôt, les neuf étudiants noirs ne s'étaient plus remontrés, et Grace pensait que sa vie n'allait pas tarder à reprendre un cours tout à fait normal. Il restait bien la garde en faction et quelques groupes ségrégationnistes devant le lycée, mais ils étaient de moins en moins nombreux.

Le conseil d'administration de l'école avait demandé au juge Davies une suspension du processus d'intégration, « le temps que les choses se calment ». La Ligue des mères blanches avait même fait une pétition dans ce sens, arguant à nouveau que la sécurité de tous était mise en danger. Brook courait partout dans les couloirs du lycée pour rallier tout le monde à la cause de sa mère. Elle y mettait autant d'énergie que si elle avait voulu se faire élire capitaine des Sideliners, l'équipe de pom-pom girls du lycée.

Bref, Grace était d'avis que le juge reviendrait sur sa décision. Cette histoire n'allait pas tarder à être définitivement enterrée et tout redeviendrait comme avant.

Dès qu'elle eut pénétré dans l'enceinte du lycée, Grace inspecta rapidement le hall, comme tous les matins. Ses yeux s'arrêtèrent sur un petit groupe d'étudiants de dernière année, celui qu'elle cherchait. Sherwood était parmi eux, en pleine conversation avec une brunette adossée à un casier.

« Qu'est-ce qu'elle fait là, celle-ci ? » marmonna Grace avant de foncer droit sur sa cible.

Elle se redressa et toussota légèrement pour s'éclaircir la voix :

— Tiens ! Salut Sherwood !

Le jeune homme se retourna. Grace lui décocha son sourire le plus naturel d'artifice, qu'elle avait mis au point après de longues séances de répétition devant le miroir de la salle de bains.

— Hey, salut Grace !

Il l'examina de haut en bas, et Grace fut certaine de voir ses yeux se poser sur sa taille. Il reprit :

— Comment vas-tu ? Ça fait un moment que je ne t'ai pas vue à la maison… au moins cinq jours, non ?

La remarque donna un coup de fouet à Grace. Cinq jours ? Il était précis. Alors, comme ça, il faisait attention à elle. Tout cela s'annonçait bien. Très bien même.

Il ajouta :

— Tiens, Grace, je te présente Lucy, qui est en cours avec moi. Lucy, je te présente Grace Anderson.

La jeune fille regarda Grace. Là, juste sous ses paupières maquillées de gris, Grace y lut une franche antipathie. « Chacun pour soi, ma vieille », pensa-t-elle en lui rendant son sourire hypocrite.

À regret, la dénommée Lucy se décolla du casier et serra ses livres contre son pull cintré. Du bout des lèvres, elle susurra :

— Je vous laisse. À tout à l'heure, Sherwood ? À la *bibliothèque* ?

Elle avait fixé Grace en prononçant le mot, pour bien lui faire sentir tout ce qu'il comptait de sous-entendus.

Quand Lucy fut hors de son champ de vision, Grace reprit :

— Vous travaillez ensemble sur un exposé ?

Sherwood pencha très légèrement la tête en arrière et se mit à rire. Dieu, qu'il était sexy. Presque autant qu'Elvis. Et puis surtout, lui, il avait l'avantage d'être tous les jours devant elle, en chair et en os. Avec plein de muscles autour.

— On peut dire ça comme ça, oui.

Grace ne sut comment prendre sa réponse et fut agacée au plus haut point quand la sonnerie retentit. Déçue par la brièveté de la rencontre, elle lança :

— À bientôt alors ?

— Oui, à bientôt. Quand tu viens à la maison, passe me dire bonjour.

Sherwood lui sourit et Grace tourna les talons, le cœur battant.

MOLLY

Voilà plus de dix jours que les neuf étudiants étaient coincés chez eux.

— À quoi sert-il que la Ligue réclame une énième suspension de l'intégration ? avait demandé Madeleine lors d'une réunion avec la NAACP. De toute façon, tant que les soldats seront là, nous pourrions être cent cinquante que cela ne changerait rien : aucun d'entre nous ne pourra entrer.

Le juriste de l'association avait alors expliqué :

— Très bien résumé. C'est donc pour cela que, pour contrer la Ligue, nous allons exiger du juge Davies qu'il fasse appliquer la loi. Les écoles publiques doivent dorénavant être mixtes, quelle que soit l'opinion des gouverneurs sur la question. Faubus doit retirer les soldats.

Conrad Bishop avait renchéri :

— Ouaip. On ne va pas laisser ce type jouer au shérif. Quand on pense que son père militait pour le droit de vote des femmes. Le vieux doit se retourner dans sa tombe.

▪ ▪ ▪

À défaut de pouvoir s'occuper autrement, Molly profita de ces deux semaines pour réfléchir. Essayer de poser des mots sur ce qui s'était passé, écouter ce qu'elle avait ressenti et ce qu'il en restait.

Bien sûr, immédiatement après, elle eut peur. Elle eut du mal à trouver le sommeil, imaginant ce qui se serait passé si elle avait trébuché dans la ruelle. Maxene Tate soutenait qu'il ne s'agissait à nouveau que d'intimidation mais Molly commençait à franchement douter. Qu'est-ce qui lui garantissait qu'elle était sincère ? Pour faire avancer leur cause et faire parler de la NAACP, elle était peut-être prête à tout, y compris à risquer leur vie.

Ensuite, Molly fut surprise. Elle savait que cette journée de rentrée allait être difficile, tout le monde le prédisait et il aurait été stupide d'envisager le contraire. Les statistiques l'attestaient : 85 % de la population étaient hostiles au plan d'intégration. Mais tout de même. Certains avaient parcouru des *milliers* de kilomètres, uniquement pour s'opposer à ce que neuf Noirs aient la possibilité d'étudier dans les mêmes conditions que les Blancs.

Par la suite, Molly ressentit une profonde déception qui la plongea dans une sorte d'asthénie physique et morale. Tant d'espoir avait été placé en ce 4 septembre. Or, l'échec avait été complet. Le gouverneur Faubus avait transformé l'essai : aucun des étudiants n'avait pu mettre le pied au Lycée central.

Alors, depuis quelques jours, enfin, Molly sentait que la colère revenait. Et, avec elle, l'envie d'y retourner. Ils en avaient *le droit*, après tout.

Après ces longues journées passées à se poser des questions, Molly était donc presque ravie de se retrouver à l'extérieur, aux côtés de ses huit compagnons. Pourtant, la sortie n'avait rien d'une promenade de santé.

▪ ▪ ▪

Molly descendit de la berline, suivie de près par Madeleine et la petite Norma, puis de Sincerity qui avait pris place à l'avant. Les quatre jeunes filles levèrent les yeux sur l'imposante bâtisse. Ce n'était pas la première fois que Molly passait devant les colonnes de la Cour de district fédérale, mais jamais elle n'aurait cru qu'elle y serait un jour convoquée.

À peine le groupe fut-il rassemblé qu'il fut encerclé par un essaim de journalistes frénétiques. Armés de papiers, stylos, micros et caméras, ils étaient partout, surexcités. Instantanément, les questions se mirent à fuser :

— Selon vous, le juge Davies va-t-il autoriser la poursuite de l'intégration ? Peut-il s'immiscer dans la gestion du gouverneur ?

— Que pensez-vous de l'action de Faubus ?

— Avez-vous envie de retourner au lycée ?

— Qu'est-ce qui vous a motivés à vous lancer dans une telle aventure ?

— Ne craignez-vous pas pour votre vie et celle de votre famille ?

Les flashs crépitaient, les voix résonnaient à cent quatre-vingts degrés. Les hommes de la NAACP faisaient tout pour protéger les étudiants de la presse et de la foule rassemblée derrière, mais, malgré tout, Molly se sentait oppressée. Elle jeta un œil inquiet à ses camarades. Madeleine avait du mal à respirer, et Sincerity semblait aussi à l'aise qu'un poisson lâché au beau milieu de Death Valley. Norma croisait ses bras devant son visage aux traits fins. Elle paraissait si fragile. Il n'y avait bien que Conrad Bishop qui avait l'air de garder son calme. Il faut dire que sa taille le plaçait un peu au-dessus de la mêlée.

Molly se hissa sur la pointe des pieds pour respirer un peu d'air frais. Conformément aux consignes de Maxene Tate, elle ne répondit à aucune des sollicitations des journalistes. En silence, elle fixa son attention sur les portes de bois blond qui, au bout du couloir, s'ouvriraient sur le juge et sa décision.

Au bout de quelques minutes, ils pénétrèrent enfin dans la salle d'audience. Maxene Tate avait été très claire : pour qu'ils aient un espoir de franchir un jour les portes du lycée, les étudiants devraient certifier qu'ils ne s'étaient pas sentis en danger le jour de la rentrée. C'était leur seule chance de réussite.

Molly sentit une goutte de sueur rouler le long de son épine dorsale. Si elle était appelée à la barre, arriverait-elle à le certifier ?

Molly jeta un regard circulaire dans la salle d'audience. La pièce était beaucoup plus petite que ce qu'elle avait pu imaginer, avec des bancs impeccablement alignés de part et d'autre de l'allée centrale. La moquette paraissait coûteuse et les visages des présidents des États-Unis s'alignaient contre le mur. Roosevelt et son regard clair. Truman, derrière ses petites lunettes cerclées de gris. Eisenhower et son crâne dégarni.

Les flashs des journalistes se remirent à crépiter et Molly cligna des yeux.

Derrière elle, Conrad Bishop lança :

— Vous croyez peut-être qu'on est des stars ?

Goguenard, il désigna les journalistes :

— Moi, je vous garantis que la seule chose qui les intéresse, c'est de savoir si on sera encore vivants à la fin de l'année !

Molly se demanda comment il faisait pour être aussi décontracté.

Des officiers de police s'approchèrent pour conduire le groupe sur le côté de la salle, d'où ils assisteraient aux plaidoiries.

Ils prirent place en silence, alignés sous les lourds drapeaux de l'Arkansas. Molly fut impressionnée par la solennité de l'endroit. Visiblement, d'autres ne l'étaient pas. Quelque part dans la salle, une voix moqueuse s'éleva :

— Pfff, quelle odeur ! Quand prendra-t-on des dispositions pour ne pas en laisser entrer plus de trois à la fois ?

Quelques secondes plus tard, la Cour fit son entrée. Molly regarda le juge Ronald Davies prendre place derrière son immense pupitre. Elle avait tellement entendu parler de lui ! Molly fut étonnée. Les gens n'étaient jamais tels qu'on les imaginait. Et lui, en premier. L'homme était terriblement petit. Des cheveux noirs, séparés par une raie bien droite, encadraient son visage rond, peu expressif. Elle l'examina pendant quelques minutes. Lors du précédent jugement, il avait déjà tranché en leur faveur. Oserait-il le faire une deuxième fois ?

Les avocats des deux parties se rangèrent en ordre de bataille.

L'audience allait commencer.

GRACE

Grace appuya sur la sonnette de la porte d'entrée des Sanders. On était presque à la fin du mois de septembre, et il faisait encore chaud et humide. Elle passa rapidement un doigt mouillé sur ses sourcils, regrettant d'avoir oublié son miroir de poche sur le siège de la voiture.

Une volée de pas rapides et légers indiqua à Grace que Brook venait lui ouvrir.

Quelques secondes plus tard, celle-ci lui fit face, les yeux chargés de reproches.

— Ha, ce n'est pas trop tôt ! Franchement, Grace, tu sais ce que ça signifie, *ponctualité* ?

Grace leva les yeux au ciel et embrassa Brook. Son amie avait les cheveux relevés en chignon et deux superbes perles blanches à ses oreilles, qu'elle n'avait jamais remarquées.

— Allez viens, suis-moi.

Grace lui emboîta le pas et pénétra dans le hall d'entrée. Chez les Sanders, tout était toujours d'une propreté impeccable. Sur la console en acajou, Grace nota que la panthère de bronze partageait désormais l'espace avec un énorme gardénia. Grace plongea son nez dans les fleurs blanches.

— Cadeau de mon père, indiqua Brook d'un geste de la main. Il fait toujours ça quand il a quelque chose à se faire pardonner. Tu viens ? Tout le monde est déjà derrière, dans le jardin.

Grace hocha la tête et suivit son amie, regardant discrètement autour d'elle dans l'espoir d'apercevoir Sherwood. Encore une fois, c'était uniquement pour cette raison qu'elle avait accepté d'assister à un rassemblement de la Ligue.

Les deux filles passèrent devant les portes du salon, ouvertes sur le silence des heures chaudes. Seul le ronronnement des ventilateurs rappelait qu'il s'agissait d'une pièce habitée.

Comme elles atteignaient la porte donnant sur l'arrière-cour, Grace se redressa et passa sa langue sur ses dents. Tout le monde devait être là, Sherwood y compris. Jetant un œil rapide par-dessus l'épaule de Brook, elle inspecta le jardin.

Sous une tonnelle blanche, une quinzaine de femmes faisaient cercle autour d'une grande table en fer forgé. Un verre à la main, elles discutaient en souriant, lissant leur jupe ou replaçant çà et là leur collier, observant discrètement la tenue des unes ou le comportement des autres. « Certaines oreilles doivent siffler », songea Grace en les regardant piailler. Sur une desserte placée sur le côté, on avait installé un gros poste de radio, autour duquel le groupe ne tarderait pas à se rassembler. Martha faisait le va-et-vient entre les invitées et la cuisine, rapportant des pichets d'orangeade ou des petits muffins aux myrtilles.

Grace pesta intérieurement. Pas de Sherwood en vue. Elle n'allait quand même pas gâcher un vendredi après-midi à écouter bavasser une tripotée de quinquagénaires aigries par l'inactivité. Elle aurait encore préféré rester en cours de comptabilité.

— Attends, lança-t-elle à Brook, qui était déjà au milieu de l'escalier de pierre.

— Il y a un problème ?

— Non, non, la rassura Grace. Je vais juste aux toilettes et je reviens.

Brook haussa les sourcils et répondit :

— Fais comme tu veux, mais fais vite, ça ne va pas tarder à commencer.

Grace fit demi-tour dans le couloir, le sourire aux lèvres. « Maintenant, ma petite Grace, débrouille-toi comme tu veux, mais trouve ton jouet. » Sherwood était là, elle s'en était assurée avant d'accepter l'invitation de Brook.

De retour dans le hall d'entrée, elle marqua un temps d'hésitation. Que devait-elle faire ? Monter au premier étage ? Et si quelqu'un la trouvait là-haut, au beau milieu du couloir ?

Grace s'efforçait d'accélérer sa réflexion quand une voix grave la fit sursauter :

— Grace ?

Sherwood se tenait derrière elle, si près qu'elle pouvait sentir la fraîche odeur de lessive de son sweat-shirt.

Il la regardait bizarrement, avec un étrange petit sourire au bord des lèvres. L'espace d'un instant, Grace se trouva presque mal à l'aise. Elle se recula très légèrement. Sherwood reprit :

— Qu'est-ce que tu fais là ?

Grace se redressa et, haussant le menton pour appuyer son mensonge, elle répondit :

— J'allais aux toilettes.

— Ah ouais ? C'est marrant, ce n'est pas du tout par là.

Loin de se laisser décontenancer, Grace répondit :

— Je me suis arrêtée pour regarder le gardénia.

Sherwood leva un sourcil, taquin :

— Je comprends. L'horticulture, c'est passionnant.

Grace haussa les épaules, légèrement irritée. Une fâcheuse tendance à la susceptibilité lui faisait détester ce genre de plaisanterie.

— C'est rare d'en voir d'aussi beaux, c'est tout. J'avais juste envie de le regarder de plus près.

Sherwood marqua une pause avant de s'approcher d'elle. Encore plus près. Extrêmement près. Maintenant, son jean frôlait la main de Grace. Il susurra, la voix traînante :

— Ouaip. Comme moi. J'ai envie de regarder de plus près.

Cette fois, Grace sentit ses intestins se tordre de plaisir. « Seigneur, faites que je ne transpire pas », pria-t-elle intérieurement.

Soudain, elle entendit des pas. Sherwood se retourna : c'était Brook qui, à grandes enjambées, arrivait droit sur eux depuis l'autre bout du couloir. Elle leur jeta un regard suspicieux avant de marmonner :

— Mais qu'est-ce que vous fabriquez tous les deux ? Vous venez, oui ou non ? On a déjà allumé la radio, ça commence !

Sherwood tapa dans le dos de Grace, qui sursauta, puis répondit :

— Oui, dépêchons-nous. Je suis impatient d'entendre le juge Davies botter le cul de ce troupeau de négros !

MOLLY

« Rien ne s'oppose rationnellement à ce que l'intégration ordonnée par la Cour ne soit pas menée à terme au Lycée central de Little Rock. Par conséquent, j'ordonne que celle-ci soit reprise. Les neuf étudiants ici présents pourront retourner au lycée lundi prochain, 23 septembre 1957, date à laquelle la garde nationale de l'Arkansas devra s'être retirée. »

Coup de maillet.

« La séance est levée. »

La voix grave du juge Davies résonnait encore dans la tête de Molly. Elle croyait tellement peu en l'impartialité de la justice qu'elle ne pouvait s'empêcher d'être infiniment reconnaissante à l'homme qui l'avait incarnée aujourd'hui. C'était un notable blanc qui avait donné raison à neuf étudiants noirs en désavouant publiquement l'action d'un gouverneur. Dans son propre État. Elle en avait les larmes aux yeux rien que d'y repenser.

Peut-être que finalement Maxene Tate avait raison. Peut-être que tout cela ne faisait que commencer. Peut-être que le jour viendrait où les Noirs pourraient assister aux mêmes spectacles que les Blancs. Peut-être que les piscines leur seraient ouvertes toute la semaine, et pas seulement la veille du nettoyage. Qu'un chanteur noir aurait le droit de faire swinguer une femme blanche sans être boycotté. Qu'il serait permis de se marier en mélangeant les couleurs.

— Et peut-être même qu'un jour il y aura un président noir à la Maison-Blanche ! s'enflamma-t-elle devant son miroir.

Molly murmura à son reflet :

— Dans moins de quarante-huit heures, toi et moi, on sera officiellement étudiantes au Lycée central de Little Rock. Si Dieu... et la justice le veulent.

Jusqu'au dernier moment, Molly s'était préparée à recevoir un coup de fil l'informant que l'intégration avait subi un nouveau coup d'arrêt. Mais à sept heures trente, en ce lundi 23 septembre, ni le téléphone ni la radio ni la télévision n'avaient annoncé quoi que ce soit de la sorte.

Un quart d'heure plus tard, Molly et sa mère se garaient devant la maison de Maxene Tate.

La rue était envahie de camionnettes de radios et de télévisions venues de tous les États, des journalistes faisaient les cent pas sur le trottoir, entraient et sortaient de chez les Tate, chemise froissée et haleine de tabac froid.

— Ils ont dormi là ! s'étonna Molly en se tournant vers sa mère.

Les deux femmes se frayèrent un chemin jusque dans le salon des Tate, où les huit autres étudiants attendaient, assis sur le canapé ou sur un bout de table, qu'il soit l'heure d'aller au lycée. Molly nota qu'ils avaient tous l'air aussi nerveux qu'elle et, paradoxalement, elle s'en sentit rassurée.

Après une bonne dizaine de minutes, elle commença à s'impatienter. Sa montre marquait huit heures cinq. Ils n'allaient quand même pas être en retard pour leur premier jour ?

Elle allait poser la question à un représentant de la NAACP quand Maxene Tate fit irruption dans le salon.

Elle embrassa la pièce de son habituel regard entier et, quand il croisa le sien, Molly sentit des frissons parcourir ses bras. Cette femme avait un charisme hallucinant. Quand elle arrivait quelque part, toute l'ambiance s'en trouvait changée.

— C'est bon. On y va.

Molly serra sa mère dans ses bras. Peaux, souffles et chaleurs mêlés, elles s'emplirent l'une de l'autre pendant quelques secondes.

— Je suis fière de toi, Molly Costello, murmura Erin.

Molly et quatre autres étudiants grimpèrent dans la voiture de Mr Collins, le trésorier, tandis que, dans un autre véhicule, Maxene Tate prenait la tête du convoi.

Molly se retourna pour voir les journalistes se ruer dans leurs camionnettes, soucieux de ne pas perdre une miette de ce nouvel essai de rentrée, qui s'annonçait prometteur sur le plan médiatique.

— Pourquoi est-ce qu'on passe par là ? s'étonna Conrad Bishop après quelques minutes de trajet. Le Lycée central n'est pas dans cette direction !

Collins regarda Conrad dans le rétroviseur :

— La police nous a déconseillé d'emprunter l'itinéraire classique. Des groupuscules ségrégationnistes barrent déjà la route.

— Ça commence bien, répliqua Conrad.

Molly était contente de le connaître. Et qu'il fasse partie du groupe. Il avait toujours le cœur léger.

Un peu plus tard, les deux voitures arrivèrent aux abords du lycée. Une marée humaine était déjà sur place, et Molly ne put s'empêcher de penser que les hommes qui l'avaient prise en chasse dans la ruelle étaient certainement présents.

— Ils sont encore plus nombreux que la dernière fois ! murmura Madeleine, visiblement choquée.

Melba lui serra l'avant-bras :

— Ne t'inquiète pas, cette fois, on est tous ensemble.

Elle avait elle-même besoin de se rassurer.

— Eh, c'est dingue, quand on y pense ! plaisanta Conrad. Tous ces Blancs qui se sont déplacés pour nous voir. J'aurais dû mieux me coiffer.

La voiture obliqua à droite.

— Vous allez passer par une porte dérobée, expliqua Collins en anticipant les questions des passagers. Inutile de vous expliquer qu'il serait suicidaire d'utiliser l'entrée principale.

La petite rue était également prise par la foule, mais Molly remarqua qu'une dizaine de policiers encadraient une lourde porte de métal. Derrière eux, on se pressait contre des barricades, les poings levés et les bouches grandies des invectives lancées.

Alors que la voiture de Maxene Tate ralentissait, Collins expliqua, l'air grave :

— Les policiers vont vous escorter jusqu'à l'entrée. Ils vous ménageront un corridor pour que vous puissiez passer. Faites vite.

Le cœur de Molly se mit à battre la chamade. Ils avaient beau faire partie de quelque chose de grand, de juste, quelque chose qui les dépassait, il n'en restait pas moins que, maintenant, c'était à eux seuls de se lancer. À eux de le vivre.

La porte de la voiture s'ouvrit sur des cris assourdissants.

Molly plaqua ses mains sur ses oreilles et suivit ses compagnons en direction de la porte, sous les huées de la foule contenue par les policiers. Elle s'engouffra à l'intérieur comme on se rue dans un abri pendant l'orage. La porte se referma dans un claquement métallique, et les hurlements devinrent plus lointains. Molly écarquilla les yeux. Ils avaient réussi. Ils étaient entrés.

On les fit rapidement monter les marches d'un escalier gris, et ils arrivèrent soudain au milieu d'un couloir rempli d'étudiants blancs. En quelques secondes, ceux-ci s'éparpillèrent, comme si une main avait jeté une pierre dans une fourmilière :

— Oh, mon Dieu ! Ça y est, les nègres sont là ! cria une fille en levant les bras.

Molly ne savait pas où fixer son attention. Les étudiants couraient dans tous les sens. Le vacarme était impossible, la désorganisation totale. Dans l'agitation, une petite femme courut à leur rencontre. Les traits tendus, elle les invitait à la suivre :

— Dépêchez-vous, le principal vous attend. DÉPÊCHEZ-VOUS !

Alors qu'elle avait été si curieuse de voir l'intérieur du lycée, Molly n'eut ni le temps ni l'envie d'admirer quoi que ce soit. Depuis qu'ils étaient sortis de la voiture, tout se passait de manière brouillonne, précipitée. Rien à voir avec ce qu'elle avait imaginé.

Elle suivit le groupe dans le couloir de marbre. Les regards malveillants et les insultes s'abattirent autour d'eux :

— Ça pue !

— Dehors les nègres !

— Putain, vous n'allez pas laisser entrer ces ratons laveurs ici ?

Molly n'était pas tellement surprise. Elle savait pertinemment que la majorité des Blancs n'était pas favorable à la mixité. Mais elle avait pensé que des jeunes se montreraient plus ouverts d'esprit, plus… civilisés.

Ce n'est que dans le bureau de Leroy Thomson, le principal, que Molly put enfin souffler. Ses jambes tremblaient. Elle croisa son reflet dans une glace dorée et se trouva déjà un air lamentable.

— Voici vos emplois du temps, expliqua Thomson après de brèves salutations d'usage. J'ai chargé des professeurs de vous accompagner jusque dans vos classes.

Bien qu'il lui semblât aussi cordial qu'une lame de rasoir, Molly eut envie de l'embrasser. Jamais elle n'aurait osé affronter seule ces centaines de Blancs remontés comme des pendules.

Les neuf étudiants examinèrent les documents qu'on leur avait remis. Molly fronça les sourcils :

— Pourquoi ne sommes-nous pas tous ensemble, dans la même classe ?

— Vous avez voulu l'intégration ? Vous l'avez, rétorqua le principal, la voix tranchante.

Les jambes toujours flageolantes, Molly salua son guide. Le badge épinglé à son chemisier indiquait qu'elle s'appelait Esperanza Sanchez. La jeune fille voulut y lire un signe d'encouragement.

À neuf heures trente-trois, elle entrait dans la classe qu'on lui avait attribuée.

GRACE

— Quoi ? Dans notre *classe* ? demanda Anton, incrédule. Mais enfin, comment avez-vous pu accepter un truc pareil ?

— Anton a raison ! ajouta Brook en s'adressant à la classe. C'est un scandale ! Nous exigeons de savoir comment a été fait le choix !

À la voir dressée sur la pointe des pieds, le regard hautain et déterminé, Grace trouva à son amie une ressemblance frappante avec sa mère. Elle aurait mis sa main à couper que dans quelques années, ce serait elle qui reprendrait la présidence de la Ligue. Il ne lui manquait que la mise en plis cartonnée.

À l'invitation de Brook, tout le monde se mit à acquiescer bruyamment. Ms Olson, qui leur enseignerait l'histoire pendant l'année, tenta mollement de ramener un peu de calme :

— Taisez-vous ! Taisez-vous ! Je ne peux rien y faire, ce n'est pas moi qui ai décidé de l'affectation de ces neuf nègres !

Elle avait dit « nègre » du bout des lèvres, un peu comme si elle craignait que le mot lui-même ne lui noircisse la bouche.

Une demi-heure se passa sans que Ms Olson réussisse vraiment à capter l'attention de ses étudiants. La voix hachée, elle débitait sa litanie professorale, inscrivant de temps à autre quelques pattes de mouche au tableau.

Grace mordilla le bout de son crayon à papier. Comment se passerait le cours une fois que l'étudiante noire, cette Milly Castello, ou quelque chose comme ça, aurait fait son entrée ? Ça promettait d'être un beau cirque.

Quelqu'un tapa à la porte. Toute la classe se retourna comme un seul homme.

— Hum… entrez ! ordonna Ms Olson en se brisant la voix sur la dernière syllabe.

Grace regarda l'étudiante noire qui se tenait, immobile, dans l'encadrement de la porte. Pendant que ses camarades étaient occupés à hurler, elle s'appliqua à la détailler de la tête aux pieds. Jupe blanche, visiblement neuve, déjà très froissée et salie sur le côté. Chaussures bon marché, bien cirées. Pas de maquillage. « En même temps, songea Grace en s'arrêtant sur les yeux exorbités de la jeune fille, personne ne l'a forcée à s'inscrire ici. » Malgré tout, elle dut reconnaître qu'elle trouvait une certaine harmonie dans ses traits. Une harmonie certaine, même. Si elle avait été mieux fagotée, elle aurait presque pu être agréable à regarder.

Derrière elle, Esperanza Sanchez souffla quelques mots à l'oreille de cette Molly Costello, ce qui la fit avancer précipitamment, comme si on venait de lui piquer les fesses avec une fourche à trois dents. Après avoir jeté un regard paniqué dans la salle, elle finit par s'avancer vers le seul bureau vide de la pièce.

La voix nasillarde d'Anton se détacha du brouhaha :

— Bon Dieu, elle a osé ! On est trente et tu es toute seule, négresse ! Tu ferais mieux de dégager tout de suite !

Ms Olson ignora la remarque et tenta de reprendre le cours là où elle l'avait laissé. Elle tapa des mains sur le bureau :

— Ouvrez vos livres au chapitre douze !

Anton se leva :

— Puisque c'est comme ça, je me casse !

Quatre autres étudiants l'imitèrent et sortirent de la classe.

Grace ne bougea pas, comme ceux qui étaient

restés. Tous étaient occupés à commenter l'attitude de cette Molly, qui semblait plutôt empotée.

— Mais regardez-la, souffla Brook en secouant la tête. Mais regardez comme elle est habillée ! Et ses cheveux ?

Dorothy pouffa. On n'avait pas idée d'avoir des cheveux pareils.

Judy murmura :

— Vous exagérez, je ne la trouve pas si moche, moi...

Brook et Dorothy se retournèrent brusquement. Brook demanda en articulant exagérément, comme elle se serait adressée à une attardée :

— Pardon ?

Judy rougit si fort que Grace en eut pitié pour elle. Elle répondit à sa place pour détourner l'attention :

— Il est presque dix heures, ça ne va pas tarder à sonner. Vous croyez qu'elle va venir en sport avec nous ?

Un flash traversa les yeux de Dorothy :

— Elle ne va quand même pas utiliser nos douches... et nos toilettes ?

Brook secoua ses boucles :

— Impossible ! C'est interdit par la loi !

— C'est vrai, depuis le temps, ils auraient pu en construire d'autres, pointa Grace en entendant la sonnerie.

MOLLY

Depuis qu'elle avait mis le pied à l'intérieur du lycée, Molly ne maîtrisait plus rien. Sans repères, elle avait l'impression que son seul but consistait à devoir avancer derrière Esperanza Sanchez en évitant des météorites.

Molly avait grandi dans le rejet et le mépris des Blancs, au mieux dans leur indifférence, mais jamais elle n'avait cru devoir faire face à une telle concentration de brutalité. C'était tout simplement ahurissant.

Molly esquiva une règle de fer qui termina sa course par terre. Sa cousine Mae avait raison : qu'est-ce qui lui avait pris de s'embarquer dans un truc pareil ? C'était de la folie furieuse.

— Où dois-tu aller maintenant ? demanda Esperanza d'une voix sèche.

Molly attrapa son emploi du temps, le geste maladroit. La feuille tremblait entre ses doigts :

— En cours de sport, je crois.

Son guide soupira :

— Il va falloir sortir du lycée. Les cours ont lieu dehors, sur le terrain de sport. Je vais t'y conduire. Dépêche-toi et tâche de ne pas te faire remarquer.

Ne pas se faire remarquer ? Dans sa tête, Molly s'entendit rire comme une forcenée.

Sur le terrain de sport, plusieurs groupes de filles étaient déjà installés, visiblement en train de commencer des matches de volley-ball. Le professeur était une femme. Plutôt surprenant, dans une telle discipline. Grande et athlétique, elle s'approcha de Molly en souriant, et l'invita à prendre place parmi le groupe. Molly fut soulagée de ne lire dans son regard aucune animosité particulière. La femme agissait comme si sa présence était normale, alors que Molly, elle, se sentait comme un cafard dans le fond d'un évier.

Le cœur battant, la jeune fille s'avança sur le terrain, tentant de se concentrer sur le jeu à venir. Par bonheur, elle en connaissait bien les règles. Et elle était plutôt vive. Très bien, elle n'aurait pas l'air complètement stupide.

Les filles avaient arrêté de jouer. Bien plantées sur leurs jambes, les poings sur les hanches, elles regardaient Molly d'un œil mauvais.

Puis, au coup de sifflet du professeur, le match reprit. Molly se concentra sur la balle, ne serait-ce que parce que cela lui évitait de croiser le regard des Blanches, ce qu'elle avait toujours appris à faire. Surtout depuis le meurtre d'Emmett Till[7], deux ans plus tôt.

Le ballon siffla plusieurs fois à ses oreilles et, malgré ses efforts, Molly ne put le renvoyer ne serait-ce qu'une seule fois. C'est alors qu'elle comprit. C'est son visage qui était directement visé.

Trop tard. Le choc la fit vaciller. Elle porta ses mains à sa tête, et son regard se troubla.

— Yipppiiiiiiiiiiii ! hurla une grande blonde en souriant de toutes ses dents.

Molly se retira du terrain en titubant. En l'espace d'à peine une heure et demie, il ne restait plus rien de l'enthousiasme et de la curiosité avec laquelle elle avait voulu partir. Ce dernier coup l'avait même empêchée de passer par le stade de la colère. Toute cette tension l'avait lessivée. Ses pensées étaient décousues et elle n'avait déjà

7. Adolescent noir brutalement assassiné en 1955, dans le Mississippi, pour avoir regardé une femme blanche dans les yeux.

plus qu'un objectif : rentrer chez elle sans une blessure de plus.

Molly rejoignit la touche et s'échoua sur un banc peint aux couleurs du lycée. Sa tête lui faisait affreusement mal. Elles avaient dû lancer la balle vraiment fort.

Le professeur s'approcha de Molly et s'agenouilla devant elle. La voyant s'abaisser pour se mettre à sa hauteur, Molly ne put s'empêcher de pleurer. Jamais un Blanc n'avait encore fait ça.

— Molly, tu peux retourner dans les vestiaires, si tu veux.

Sa voix était douce, et Molly eut envie de s'y accrocher. Qui était cette femme qui ne semblait en rien irritée par sa présence ?

Molly se demandait si elle arriverait à rejoindre les vestiaires sans s'affaler la tête dans la terre quand, levant les yeux en direction de la rue, elle remarqua la foule qui se massait derrière le grillage. Au premier plan, plusieurs femmes secouaient le treillage. Elles criaient des choses qui s'embrouillèrent dans la tête de Molly. Il n'y avait personne quand elle était sortie des vestiaires. Elle en était sûre. Or, elles avaient maintenant l'air d'être une quinzaine et il en venait encore.

— Mais qu'est-ce que c'est que... commença le professeur de sport, établissant visiblement le même constat.

Sa voix disparut dans une grimace de surprise. Un groupe de femmes *escaladait* la grille.

Instinctivement, Molly se leva du banc, ce qui lui donna l'impression qu'on lui plantait un poignard dans le crâne.

— Attrapez-la ! hurlèrent les plus grasses, restées en bas à agiter la clôture.

Le professeur poussa Molly en direction des vestiaires :

— Va-t'en ! Rentre ! J'appelle la police !

Molly se mit à courir. Mais avec le poignard planté dans le crâne, c'était surhumain. À chaque pas, la douleur marteau-piquait sous son front.

Derrière elle, les voix commençaient à étrangement résonner, comme si Molly s'était laissée glisser sous l'eau. Elle plissa les yeux : la porte du bâtiment lui semblait si loin ! Elle avait l'impression d'être engluée dans une mare de porridge.

Elle continua à avancer, la vue brouillée et les jambes récalcitrantes. Au bord de l'évanouissement, elle finit par atteindre la porte d'entrée des vestiaires. Elle voulut poser la main sur la poignée mais la manqua. Elle s'essuya les yeux avant de recommencer. La porte s'ouvrit. Elle s'engouffra à l'intérieur et rassembla ses forces pour rabattre le loquet.

Dans le couloir, Esperanza Sanchez s'était levée, un magazine à la main.

— Eh bien, qu'est-ce qui se passe ? On est déjà fatiguée ?

Quelques secondes plus tard, les poings se mirent à tambouriner sur la porte verrouillée.

Molly eut juste le temps de voir son guide tanguer, avant de s'écrouler sur le sol carrelé.

À treize heures, les policiers raccompagnèrent Molly chez elle.

« Pour une première journée, ça suffit », avaient-ils dit, et Molly, poupée de son, s'était laissée emmener dans la camionnette avec une confiance et un apaisement total. Elle ne releva même pas qu'une assourdissante volée de pierres s'abattait sur la carrosserie.

Quelques dizaines de minutes plus tard, le véhicule se gara devant sa maison. Les portes de la camionnette coulissèrent, et Molly constata que sa grand-mère l'attendait sur le perron. Shiri se tordait les mains d'angoisse. Molly regretta presque d'avoir repris ses esprits. Elle se sentait misérable et coupable. La tentative d'agression avait dû être reprise en boucle par la radio, elle imaginait très bien le genre de détails croustillants qui avaient pu être rapportés.

« Escaladant les grilles du lycée, des hordes de femmes blanches n'ont pas hésité à déchirer leurs jupes pour se lancer à l'assaut de Molly Costello, déjà affectée par un coup à la tête. À l'heure où nous vous parlons, nous ne savons toujours pas dans quel état se trouve la malheureuse étudiante et… »

Molly inspira un bon coup et brossa sa jupe, chiffon gris de poussière. Elle descendit de la voiture, s'efforçant de se redresser. Cent soixante-cinq centimètres de stupéfaction, de souffrance et de déception.

Découvrant ce qu'ils avaient fait de sa petite-fille, Shiri plaqua sa main devant la bouche. Puis ses yeux s'emplirent de larmes. Molly lui prit la main et fourra son nez dans son cou. Il sentait le talc et le gardénia, c'était bon et rassurant.

Elles s'étreignirent deux secondes, deux minutes, deux ans.

Une demi-heure plus tard, après avoir vidé le ballon d'eau chaude, Molly fit son apparition au salon, propre et changée.

Elle savait qu'il faudrait parler. Elle ne pouvait pas se taire et les laisser imaginer comment cette journée s'était passée. Elle leur devait bien des explications, c'était la moindre des choses.

Sous la douche, tandis qu'elle regardait la mousse disparaître dans la grille de fond, elle avait décidé qu'elle essayerait de rester détachée. Être le plus factuel possible. Ne rien dire de sa surprise, de sa déception... du malaise qui avait grignoté son ventre, petit à petit, de la sensation de rejet si brutal qu'elle avait ressentie, qui lui avait fait si mal. Elle ne dirait rien, non plus, de toutes les questions qu'elle avait eu le temps de se poser pendant le trajet du retour. Allait-elle *vraiment* retourner dans cet enfer ? Si elle laissait tomber, qu'est-ce qui allait se passer ? Est-ce que tout pouvait encore redevenir comme avant ? Elle avait envie que quelqu'un en décide à sa place. Pour ne plus réfléchir.

Molly s'assit devant le verre de lait servi par sa grand-mère et le porta à ses lèvres. Elle garda quelques secondes le liquide dans sa bouche, heureuse de s'emplir de cette sensation si simple, avant de l'avaler d'un seul trait.

La porte d'entrée s'ouvrit à la volée, et sa mère se précipita à ses côtés :

— Seigneur, tu es vivante ! Plus jamais tu ne remettras les pieds là-bas ! Tu entends, plus jamais !

— Tout va bien maintenant, maman, tout va bien, s'entendit répondre Molly.

Est-ce elle qui avait réellement parlé ?

Le lendemain, sur les conseils de Maxene Tate, Molly resta chez elle, comme les huit autres étudiants qui avaient tous eu l'impression de tomber dans le même enfer. Au Lycée central, la chasse au Noir avait été lancée.

Molly resta devant la télévision en essayant d'organiser ses pensées. L'exercice lui était désormais familier. Elle avait le sentiment que, depuis un mois, elle se connaissait mieux. Lors du débriefing organisé par Maxene Tate, les étudiants avaient fini par accepter l'idée que, en dépit des « difficultés », le projet d'intégration ne devait pas être abandonné. Il fallait persévérer. Montrer à tout le monde que les Noirs n'étaient pas des victimes ou des lâches. Que l'espoir et le courage n'avaient pas de couleur.

Cela étant, Molly avait tout sauf envie de retourner au lycée. Pas question que ce soit elle qui soit à nouveau jetée en pâture pour faire avancer la cause de toute sa communauté. Mais alors, que faire ? Le problème paraissait sans solution.

Dans le poste de télévision, une jolie ménagère pimpante, en tablier de dentelle blanc, s'extasiait sur l'efficacité d'une nouvelle formule de crème à récurer. Molly se leva pour aller changer de chaîne et fronça les sourcils quand elle aperçut le visage du président Eisenhower. Ce n'était pas souvent qu'on le voyait à la télévision. Elle s'assit sur la moquette pour l'écouter parler.

Quelques minutes plus tard, quand Shiri la rejoignit, Molly était encore sous le choc de ce qu'elle venait d'entendre. Quelque chose d'absolument incroyable venait de se produire. Une décision historique. Sans précédent.

— Mais quelle tête tu fais ! Qu'est-ce qui se passe ? demanda Shiri. On dirait qu'ils viennent d'annoncer que des communistes armés jusqu'aux dents sont aux portes du pays !

Molly secoua la tête. Sa grand-mère ne devinerait jamais.

Le président Eisenhower en personne était intervenu dans l'affaire. Dès le lendemain, mille soldats de la 101e division aéroportée seraient parachutés à Little Rock, pour permettre à Molly et à ses huit camarades de suivre les cours en toute sécurité. La 101e division. Des hommes qui faisaient la guerre dans le monde entier.

En terminant ses explications, Molly eut la chair de poule.

Shiri passa son bras autour des épaules de sa petite-fille :

— Le Seigneur a entendu nos prières. Tu vas retourner dans ce lycée et, désormais, rien ne pourra plus nous empêcher d'avancer.

GRACE

Comme tous les matins depuis une semaine, Grace passa devant les soldats envoyés par Ike Eisenhower. Elle n'avait pas tellement d'expérience en stratégie militaire mais avait tout de même constaté que certains d'entre eux étaient toujours postés aux mêmes endroits. Entrées principales ou secondaires, abords des toilettes, angles des couloirs ainsi que tous les recoins un peu plus sombres derrière lesquels il était facile de se cacher pour tabasser quelqu'un, noir de préférence.

Plutôt que d'emprunter l'escalier qui menait directement à la salle de cours, Grace obliqua dans le couloir à droite. Depuis qu'elle y avait remarqué un jeune soldat extrêmement timide, elle mettait un point d'honneur à défiler devant lui rien que pour le plaisir de voir son trouble quand elle lui souriait.

Comme Grace l'avait prévu, le visage du soldat vira au rose. Satisfaite de l'effet qu'elle produisait sur lui, Grace poursuivit son chemin… contrainte de refaire le tour complet du rez-de-chaussée. Elle marchait le dos droit et la tête haute : on ne prenait jamais assez de précautions en matière de séduction. Elle aurait pu croiser Sherwood à tout instant.

Tandis qu'elle grimpait l'escalier, appréciant le claquement de ses nouvelles chaussures sur la pierre, elle repensa à lui. Voilà plusieurs fois qu'il lui manifestait des signes certains de son intérêt, et Grace était très confiante sur l'issue du combat. Encore quelques efforts, et Grace Anderson serait la cavalière de Sherwood Sanders lors du bal de fin d'année. Il ne lui manquerait plus qu'une paire de collants crissant sous une robe hors de prix et elle serait comblée.

En débarquant dans le couloir du troisième étage, Grace manqua de se cogner à Brook, occupée à distribuer des papiers. Elle en attrapa un au vol :

Nous sommes dans
un État assiégé !
Résistons pour défendre
nos droits et notre sécurité !

Ségrégation hier,
ségrégation aujourd'hui,
ségrégation demain !

Elle recroquevilla sa main autour du papier, avant de le glisser dans une poche perdue dans les plis de sa jupe. Grace ne se sentait pas particulièrement philonègre, comme on qualifiait désormais Eisenhower et tous ceux qui lui donnaient raison, mais elle se demandait tout de même ce qui justifiait un tel comportement envers ces neuf Noirs. C'est vrai, on ne les connaissait même pas ! À peine avait-on entendu le son de leur voix. Et puis, surtout, personne n'était obligé de travailler avec eux, encore moins de leur parler. On pouvait tout aussi bien les ignorer.

Grace croisa de nouveau Brook, qui lui tendit une cinquantaine de prospectus :

— Tiens, aide-moi.

Sans attendre une quelconque réponse, elle lui fourra les affichettes dans les mains. Grace serra les dents. Franchement, elle avait autre chose à faire que de distribuer un tas de papiers qui allaient lui tacher les doigts. D'ailleurs, le comportement de Brook commençait à franchement la lasser. Pourquoi s'acharnait-elle de la sorte ? Ce n'est pas comme si elle avait à convaincre qui que ce soit : dans leur écrasante majorité, tous les étudiants ne souhaitaient qu'une chose, faire dégager ces neuf cinglés.

Grace, elle, pensait désormais qu'il valait mieux se rendre à l'évidence. L'intégration était en marche. Autant s'habituer tout de suite à les avoir sous le nez, car qui sait, peut-être que, l'année suivante, ils seraient encore plus nombreux.

Mais elle gardait ses réflexions pour elle. Ce n'était vraiment pas le moment de se brouiller avec Brook, alors qu'elle était si proche de mettre son gros poisson de frère dans ses filets.

Grace fit quelques pas dans le couloir. Quand elle fut sûre d'être hors de portée de vue de Brook, elle se débarrassa des papiers dans la première poubelle venue.

Comme elle vérifiait l'état de propreté de ses mains, elle aperçut justement Molly Costello qui arrivait, accompagnée du soldat qui la suivait désormais partout.

Grace se demandait combien de temps ils resteraient. Dans une émission de radio, la mère de Brook avait beuglé que c'était scandaleux :

— Vous rendez-vous compte de l'argent que coûte la protection de ces nègres au contribuable ? Trois millions de dollars ! Oui, vous avez très bien entendu, TROIS MILLIONS DE DOLLARS !

Comme elle retournait vers sa classe, Grace se demanda ce qu'elle pourrait bien faire d'une somme pareille. Convertie en robes et en chaussures, cela ferait une sacrée penderie. La voix d'Anton la fit redescendre sur terre. Du doigt, le jeune homme pointait Molly :

– Hey, regardez qui voilà ! Quelqu'un a des cacahuètes ?

Ses copains, hilares, lui tapèrent dans le dos, et Anton se lança dans une imitation de singe qui fit se tordre de rire la classe entière.

Grace scruta le visage de Molly, qui n'avait même pas modifié sa cadence. Elle était franchement admirative de son courage et de sa ténacité, surtout après ce qui lui était arrivé le jour de la rentrée. Elle-même était très persévérante, mais, à la place de cette fille, elle était sûre qu'elle ne serait jamais revenue au lycée. Ou alors, elle l'aurait fait pour une seule chose : se jeter sur le premier Blanc venu et lui crever les yeux. Avec ses ongles laqués.

Mais non, à l'inverse, Molly revenait tous les matins. Les yeux baissés, elle recevait n'importe quel projectile ou injure en silence, ce qui avait le don d'exciter encore plus ses assaillants, loin d'être intimidés par la présence du soldat. À la cafétéria, dès qu'elle ou l'un des autres étudiants entraient, c'était des cris d'animaux à n'en plus finir, des jets de nourriture ou même des canettes de soda. Une fois, Norma Walls avait reçu une bouteille pleine de *Grapette Cola* à l'arrière du crâne, avec tellement de force qu'elle avait fini le visage dans son assiette. Tout le monde avait hurlé de rire en tambourinant sur les tables avec les poings et les couverts tandis que Norma sortait de la pièce, tentant de contenir le sang qui commençait à ruisseler. Les autorités du lycée avaient fini par réagir et, depuis cet épisode, les neuf pouvaient emporter leur plateau dans une pièce à part. Tu parles d'une intégration.

Grace regarda Molly disparaître dans la classe. Pendant les quelques minutes qui restaient, elle allait attendre que le cours commence, à sa place habituelle, dans une zone où, désormais, plus personne ne s'asseyait.

Le professeur entra et Grace s'installa à son bureau. Elle déballait ses affaires quand elle remarqua, stupéfaite, que Dorothy allait prendre place aux côtés de Molly.

▪ ▪ ▪

Grace sortit du lycée, il était dix-sept heures. Le ciel était encore bleu mais les températures avaient descendu d'un cran. Cette fois, l'automne arrivait.

Elle prit la direction du petit parking où son père venait les récupérer, son frère et elle. Une rutilante Chevrolet bleue la dépassa à toute allure, et Grace eut le temps d'apercevoir un étudiant au volant. Elle espéra que son père ne remarquât pas le bolide. Ce n'était sûrement pas avec ce genre de spectacle qu'il accepterait de lui offrir une voiture, quand elle aurait son permis.

La Chevrolet disparut au coin de la rue, et Grace ne put s'empêcher de repenser à ce qui venait d'arriver, pendant le cours d'histoire.

Après que Dorothy se fut assise à côté de Molly, Grace avait jeté un œil interrogatif à Brook. Celle-ci lui avait répondu par un petit signe de tête rassurant et, pendant tout le cours, Grace avait eu un mauvais pressentiment.

Contre toute attente, l'heure s'était déroulée normalement, ponctuée des habituelles insultes et injures racistes circulant dans les airs ou sur papier blanc. Anton avait même juré qu'il ferait la peau à Molly, « pour vérifier de quelle couleur était son sang ». Le soldat qui protégeait la fille l'avait fixé pendant quelques secondes, et Anton avait fini par se calmer.

C'était à la fin du cours que les choses avaient pris une tournure particulière. Grace avait clairement vu Dorothy *parler* à Molly. C'était la première fois qu'une chose pareille arrivait. La pauvre fille avait été tellement surprise qu'elle avait regardé Dorothy, les yeux et la bouche grands ouverts, aussi expressive qu'une truite sur l'étal d'un poissonnier.

Puis la sonnerie avait retenti, et Molly était sortie en hâte de la classe, suivie de près par le soldat.

Grace arriva vers le parking, de l'autre côté de la rue. Au fond, la voiture de son père ronronnait. Keith était déjà installé. Tous deux devaient l'attendre en écoutant la radio ou en évoquant la journée passée. Son père se montrait toujours très concerné par ce qui se passait au Lycée depuis la rentrée.

Grace traversa la rue et aperçut le cadavre d'un chat qui, visiblement, venait de se faire écraser. Son sang était rouge brillant et une sorte de substance bleuâtre et visqueuse sortait de son flanc. Son corps était parcouru de tressautements. Grace repensa à la Chevrolet bleue et fit un écart sur le côté, le cœur soulevé.

MOLLY

Comme chaque matin, Molly se réveilla en réalisant qu'aujourd'hui encore il fallait y aller. Elle attrapa une robe de chambre et descendit à la cuisine pour prendre son petit déjeuner.

Avec le temps, elle avait pensé que, au lycée, la situation s'améliorerait, mais au contraire, elle avait l'impression que chaque jour était pire que le précédent. L'intégration avait légalement été entérinée, leur sécurité était quasiment assurée par la présence des soldats, mais ce n'est pas pour autant que les Blancs avaient abandonné. Ils avaient simplement changé leur fusil d'épaule.

— Leur stratégie est claire, avait expliqué Conrad la veille, au déjeuner. Ils veulent nous pousser à la faute, nous provoquer jusqu'à ce que l'un de nous réagisse. Et à ce moment-là…

— À ce moment-là ? avait répété Madeleine.

— À ce moment-là, bam! Au moindre faux pas, on sera virés. Le conseil d'administration de l'école n'attend que ça. Puisque la loi est de notre côté, c'est la seule solution qui leur reste : nous renvoyer à cause d'un comportement inapproprié.

— *Inapproprié ?* Et le leur, de comportement, comment est-ce qu'il est? avait lâché Thelma, amère.

Molly avait soupiré. À comportement égal, ce n'était pas demain la veille qu'un Noir serait jugé comme un Blanc. Un Blanc pouvait vous insulter, vous cracher au visage, vous frapper, vous pendre à un lampadaire... il aurait toujours raison. Les Noirs, eux, avaient simplement le droit de se laisser faire sans broncher.

Molly avait alors ajouté :

— Il y a aussi une autre solution : que l'on parte de nous-mêmes.

Elle y avait souvent pensé.

Molly sortit un bol et des couverts. Elle n'avait toujours pas récupéré son appétit d'avant, mais elle arrivait maintenant à avaler quelques cuillères de porridge. Grâce à la présence des soldats d'Eisenhower, et en particulier à Danny, son « ange gardien », elle ne craignait plus pour sa vie.

— Comment ça va? s'enquit sa grand-mère, depuis le seuil de la cuisine.

— Comme d'habitude, souffla Molly en tournant la tête vers elle.

Molly s'attabla, et sa grand-mère s'installa juste en face d'elle, dans sa chemise de nuit à petites fleurs mauves. Et lui attrapa les mains. Noir ou pas, on finira tous avec la peau fripée, pensa Molly.

— Molly, je ne sais pas exactement ce que tu vis là-bas… Mais je suis encore assez lucide pour comprendre que ce doit être très difficile.

Molly avala sa salive. Personne ne pouvait se mettre à leur place. Personne, à part eux neuf, ne pouvait savoir ce que c'était d'avoir quinze ans et d'être humilié à longueur de journée. De se sentir si… inférieurs. Et d'être seuls. À part pour le déjeuner, Molly n'avait personne à qui parler. Autant elle avait réussi à se forger une carapace contre les insultes, autant elle n'arrivait pas à s'habituer à cette affreuse solitude.

La sempiternelle question que se posait Molly refit surface :

— Pourquoi ne voient-ils pas que je suis… Molly ? Pourquoi ne voient-ils que ma peau ?

— Ssssssh, fit Shiri, les yeux brillants.

Les paroles de Molly lui tordaient le ventre. Elle se reprit et lui planta son index dans la poitrine :

— N'oublie jamais une chose, ma fille. Ce n'est

pas contre toi personnellement qu'ils en ont. C'est contre nous tous. C'est comme ça depuis toujours.

Molly fronça les sourcils :

— Mais alors, tu crois que ça sert à quelque chose que…

— Oui. J'ai confiance en notre Seigneur. Les choses changent, même ici dans le Sud. À Montgomery, Il a posé Sa main sur Rosa Parks. Aujourd'hui, c'est sur vous neuf, à Little Rock. Sur toi, Molly Costello.

Molly fixait sa grand-mère. Elle n'avait jamais envisagé les choses de la sorte. Peut-être que, en effet, c'est Dieu qui l'avait placée ici et maintenant. Pour que Son dessein se produise. Elle aima cette pensée. Elle était soulagée. Cela signifiait qu'elle n'était responsable de rien.

Une grande bouffée de courage gagna Molly. Aujourd'hui encore, elle irait au lycée. Et demain, et encore après-demain. Tant que Danny était là, elle n'avait rien à craindre pour sa sécurité. Le reste, elle avait appris à en faire son affaire. Sa grand-mère avait raison, elle devait avoir confiance, garder espoir. Dieu ne la laisserait pas tomber, pas maintenant. Et si tel était le cas, ce serait la preuve qu'Il n'existait pas. Ce qui était inconcevable.

D'ailleurs, la veille, cette fille, en cours d'histoire, cette Dorothy, ne lui avait-elle pas souri ?

GRACE

Il était dix heures du matin, et le cours allait commencer. Grace et Judy arrivèrent ensemble devant la classe. Grace, qui était pourtant aussi exubérante que Judy était réservée, se sentait maintenant plus proche d'elle qu'elle n'avait jamais été de Brook.

Cette dernière était déjà là, flanquée de Dorothy, et visiblement les deux complices piaffaient d'impatience. Grace eut à nouveau le sentiment diffus que quelque chose de désagréable allait se produire.

Elle donna un coup de coude à Judy :

— Tu ne les trouves pas bizarres, toi, aujourd'hui ?

Judy hocha la tête.

— Oui. À mon avis, elles préparent un truc contre cette pauvre négresse.

Grace s'approcha de Brook et de Dorothy.

— Salut, les filles !

— Salut ! s'empressa de répondre Judy. Brook, j'adore ta coiffure !

Celle-ci ne répondit rien. Ses yeux étaient posés sur le col de fourrure de Grace, retenu sur ses épaules par un lien de satin.

— Joli col, Grace.

Grace sourit. C'était la troisième personne qui lui faisait la remarque. Elle avait eu mille difficultés à trouver cet accessoire, mais, visiblement, son entêtement avait payé.

— Où est-ce que tu l'as acheté ?

Grace dégaina la réponse qu'elle avait préparée :

— C'est un cadeau de mon oncle. Il revient de Paris.

Qu'est-ce que Brook croyait ? Elle n'allait quand même pas lui révéler aussi facilement la provenance de ce col alors qu'elle avait eu tant de mal à se le procurer.

Grace changea de sujet :

— Alors, quoi de neuf ? Dorothy, tu vas vraiment te rasseoir à côté de Molly ? Je t'avoue que, Judy et moi, on n'a pas très bien compris...

Brook lui coupa la parole, l'œil amusé :

— Vous êtes vraiment niaises.

Judy se tordit nerveusement les mains et demanda, d'une voix encore moins audible que d'habitude :

— Non mais c'est juste qu'on voulait savoir...

— Oh, toi, la ferme !

La tête de Judy rentra dans ses épaules, comme si Brook lui avait donné un coup sur le crâne.

— OK, lâcha Grace.

Elle tourna les talons et regagna sa place.

Les cris commencèrent, et Grace comprit que Molly était arrivée.

Quand cette dernière aperçut que, comme la veille, Dorothy était déjà installée sur le bureau mitoyen, elle marqua un temps d'hésitation. Grace ne put décider si son visage reflétait la surprise, l'incompréhension, la méfiance ou le soulagement. Ou tout cela en même temps.

Molly s'avança lentement, les yeux baissés comme à son habitude. Grace avait remarqué que la majorité des Noirs se comportait de la sorte. « Pas étonnant qu'ils se fassent traiter comme des serpillières, pensa-t-elle. Ils n'osent même pas nous regarder dans les yeux. »

Molly se glissa sur sa chaise comme une anguille, en évitant bien de regarder Dorothy qui était pourtant toute tournée vers elle.

— Hey, Grace, ça te dirait de boire un verre après les cours ?

Grace fit volte-face et dévisagea Philip, l'étudiant qui partageait son bureau. Il avait le teint si clair qu'on pouvait voir ses veines battre sur ses tempes, et Grace le trouva encore plus horripilant que d'habitude. Elle le fusilla du regard :

— Non.

Laissant Philip à sa mortification, elle se retourna vers Molly et Dorothy. Elle ne voulait rien perdre de la scène.

Au bout de quelques secondes, Grace entendit distinctement Dorothy murmurer :

— Alors Molly, tu ne me dis pas bonjour ?

La jeune fille leva lentement la tête vers Dorothy, qui souriait, la tête légèrement inclinée sur le côté.

Grace connaissait très bien Dorothy et, à ce moment-là, elle sut que son sourire était tout sauf sincère. Mais que pouvait-elle faire ? Molly ne courait visiblement aucun danger, Dorothy n'aurait jamais tenté de la frapper au beau milieu de la classe. Avec le soldat qui était posté à la porte d'entrée, cela aurait été stupide. Grace se mordit la lèvre. Foutue intégration. Elle aurait mieux fait de ne pas venir aujourd'hui.

Molly esquissa un sourire, et le cœur de Grace se serra quand elle y lut de la reconnaissance et de l'espoir. D'une voix faiblarde, Molly chuchota :

— Bonjour, Dorothy.

Dorothy approcha alors son visage près de celui de Molly, et lui répondit en lui attrapant le menton :

— Pour qui tu te prends ? Depuis quand les nègres adressent-ils la parole aux Blancs ?

Elle avait lentement levé son poing fermé au-dessus de la tête de Molly. Elle le retourna subitement. Une substance noire s'en déversa, atterrissant bientôt sur le visage de l'étudiante, avant de ruisseler sur son menton.

La surprise lui coupa le souffle. Hoquetante, elle levait les bras devant elle, à la recherche d'un support auquel s'agripper. Grace était horrifiée. Le chemisier jaune de Molly, propre et bien repassé, était maculé de coulées d'encre, du col jusqu'à la poitrine et dans le dos.

Toujours aussi sérieuse, Dorothy se leva. Elle laissa tomber la fiole d'encre par terre :

— Voilà pour toi. Au cas où tu aurais oublié que tu étais *noire.*

Dans la classe, les étudiants hurlaient, sifflaient, tapaient des mains et des pieds. Ms Olson, toujours aussi dépassée, tapa sur la table, sans effet. Le succès de Dorothy avait galvanisé l'assemblée.

Molly demanda la permission de sortir de la classe, qui lui fut accordée, et, pour la première fois, Grace oublia la peau noire de la jeune fille. Elle voyait juste une adolescente blessée, qu'elle avait terriblement envie de réconforter.

▪ ▪ ▪

Grace ouvrit son casier et y fourra son livre d'histoire. Comme son armoire, il était affreusement désordonné. Déplaçant la pile à la recherche du manuel dont elle avait besoin pour le cours suivant, elle tomba sur un ancien *Harper's Bazaar* dont elle ne se souvenait plus. Sur la couverture, le mannequin souriait, et Grace trouva que sa coiffure rappelait celle de Dorothy.

« Dorothy, Dorothy, Dorothy. » Grace répéta le nom dans sa tête. C'est étrange, il ne résonnait plus de la même façon qu'avant. Elle replaça le magazine là où elle l'avait trouvé. Elle avait beau essayer de penser à autre chose, la scène du cours précédent n'avait de cesse de lui revenir en tête.

Le pire, c'est qu'elle avait pris conscience qu'elle était quasiment la seule à avoir été choquée. À part peut-être Judy. Elle aurait aimé lui en parler, mais elle ne savait pas si elle pouvait vraiment lui faire confiance. Judy était pétrie d'admiration pour Brook et ne dirait rien qui risquerait de lui déplaire. De plus, si jamais on les entendait, Grace serait aussitôt considérée comme une intégrationniste et c'en serait aussitôt fini de sa popularité au lycée. Elle risquait peut-être même de se faire agresser, c'était d'ailleurs ce qui était arrivé à une amie de ses parents, qui avait retrouvé une croix du Klan planté dans le pare-brise de sa voiture. Un mot doux y était punaisé : « Salope d'intégrationniste, la prochaine fois, ce n'est pas dans ton pare-brise qu'on la plantera. »

Ayant enfin mis la main sur le manuel qu'elle cherchait, Grace referma la porte sur le fouillis de son casier. Elle se retourna et laissa tomber le livre. Sherwood lui faisait face. Depuis quand était-il là ? Elle ne l'avait pas du tout entendu arriver. Le jeune homme sourit :

– Hey, tu es bien nerveuse !

Immédiatement, Grace bascula les épaules en arrière et releva le menton. Un port de tête altier, ça vous retape n'importe quelle silhouette, lui répétait sa mère depuis qu'elle était petite. Sherwood eut une petite moue narquoise :

– C'est moi qui te mets dans cet état-là ?

Grace rétorqua :

– Tu es beaucoup trop sûr de toi. J'ai été surprise, c'est tout. Comment ça va ?

– Très bien.

Sherwood était si près qu'elle avait l'impression qu'il allait la manger. C'en était presque angoissant. Délicieusement angoissant.

Comme la sonnerie retentissait, Sherwood se dépêcha d'ajouter :

— Grace, avec quelques copains, on va au bowling demain après-midi. Tu veux venir ?

Grace jubila. Ça y est, il avait mordu. Elle s'efforça de respirer profondément pour ne pas lui laisser croire qu'elle était transportée de satisfaction. Elle répondit :

— Mmm... pourquoi pas. J'avais d'autres projets, mais j'imagine qu'une partie de bowling me changerait les idées.

Elle ajouta en souriant :

— Mais je te préviens, sur la piste, je suis imbattable.

Sherwood répondit en riant :

— Je n'en attendais pas moins de toi. Alors à demain. Je passe te chercher vers quatorze heures.

— J'habite...

— Ne t'inquiète pas. Je sais déjà.

Sherwood tourna les talons, et Grace décida que c'était la meilleure journée qu'elle avait passée depuis un bon bout de temps.

■ ■ ■

La pendule indiquait treize heures cinquante. Grace était déjà prête depuis une bonne demi-heure et tournait en rond dans le salon.

Minnie astiquait les meubles en fredonnant. Elle s'arrêta soudain, les poings sur les hanches. Du menton, elle désigna la moquette :

— Vous allez finir par me faire un trou dedans ! Vous ne voulez pas vous asseoir un peu ? Vous me donnez le tournis.

Grace secoua la tête :

— Ah non, certainement pas. Si je m'assois, je vais être toute froissée.

— Et dans la voiture de Mr Sanders, vous allez rester debout ?

— Pfff... Tu le sais aussi bien que moi, c'est la première impression qui compte.

Elle avait mis sa plus jolie jupe, la blanche, qui était aussi la plus courte, et avait savamment bouclé ses cheveux, de façon à ce qu'ils paraissent naturels alors que Minnie avait passé plus d'une heure à batailler avec le fer à friser.

— C'est quand même dommage que je n'aie pas de paire de collants, regretta Grace. J'ai l'impression que je suis la seule à ne pas avoir le droit d'en porter. Tu n'en aurais pas, toi, à me prêter ?

Minnie éclata de rire et leva sa jambe ronde :

— Vous me voyez, moi, saucissonnée dans un de ces machins pour pin-up ? Et puis, même si j'en avais, vu ma taille de guêpe, on pourrait vous faire tenir tout entière dedans.

Grace soupira :

— Mais non, je veux dire, ta fille, elle n'en a pas ?

Minnie leva les yeux au ciel et se remit à astiquer le buffet.

À quatorze heures et trois minutes, la sonnette de la porte d'entrée retentit. Grace se figea au milieu de la pièce.

— Mince ! Qu'est-ce que je fais là ? Attends pour aller lui ouvrir, je monte dans ma chambre ! Il ne manquerait plus qu'il croie que je l'attends !

La domestique regarda Grace s'enfuir dans sa chambre puis se dirigea vers la porte d'entrée en secouant la tête. Cette gamine était impayable.

Sherwood ouvrit la porte du Bowling Hall et invita Grace à le précéder. Pendant le trajet en voiture, celle-ci avait enfin pu discuter avec lui sans être dérangée. Le sentiment de pouvoir qu'elle avait alors ressenti l'avait exaltée. Dommage que le trajet n'ait pas été plus long.

Cela faisait un moment que Grace n'avait pas mis les pieds au bowling, mais elle constata que tout était resté identique à son souvenir : ambiance confinée, odeur de cire et de pop-corn, claquement de quilles et roulis de boules sur le parquet.

Ils se dirigèrent vers un groupe de jeunes étudiants. Parmi tous les visages présents, Grace reconnut celui de Lucy. Une bouffée de satisfaction l'électrisa. Cette pimbêche allait être verte de rage de la voir arriver au bras de Sherwood.

Les amis de Sherwood saluèrent Grace, les regards pleins de sous-entendus, et une partie s'engagea. La chaleur, les regards qui coulaient sur son corps, les odeurs, la présence de Sherwood, Buddy Holly dans le juke-box... Grace était grisée.

If you knew Peggy Sue,
then you'd know why I feel blue

Grace n'avait pas perdu la main et, après quelques essais moyens, elle réussit quatre strikes coup sur coup.

Tout en avalant une bière, Sherwood la regardait avec étonnement, ce qui ne fit que redoubler la confiance de Grace, qui n'aimait rien tant que de se sentir admirée.

Après quelques parties, Sherwood s'affala sur un siège de velours gris. Il fit signe à Grace de le rejoindre.

— On dirait que tu as fait ça toute ta vie, lui dit-il en plaçant son bras sur le dossier du fauteuil, derrière elle.

Grace sourit. L'après-midi se déroulait merveilleusement bien. Exactement comme elle l'avait prévu.

MOLLY

Au plus loin que remontent ses souvenirs, Molly avait toujours pensé que ses *sweet sixteen* seraient son plus bel anniversaire. Une journée de rêve, entourée de la famille et des amis venus pour assister à la transformation officielle de l'adolescente en jeune femme.

La fête aurait été préparée dans un scrupuleux respect de la tradition. Fleurs blanches, paillettes et choux débordants de crème. Plus ce serait désuet et mieux ce serait.

D'abord, on aurait allumé les seize bougies. La première pour les parents, la deuxième pour les grands-parents, puis le reste de la famille, les amis, le petit ami… jusqu'à la dernière, pour la chance.

Bien entendu, son père aurait fait le déplacement. Molly se serait assise dans la grande loveuse en rotin et, au ralenti, elle l'aurait regardé s'avancer, tentant de contenir son émotion toute paternelle. Il se serait agenouillé à ses pieds, aurait ôté sa ballerine, à la place de laquelle il aurait fait glisser une délicate paire de sandales à talons. Pour parfaire ce moment, Erin aurait branché le tourne-disque, et la voix de Nat Cole aurait empli le salon.

Puis le reste de la journée se serait passé comme dans les reportages des magazines, entre l'album photo préparé par les amies, les souvenirs égrenés par chacun et, bien entendu, le moment tant attendu, la valse au bras de son père.

Au lieu de tout cela, Molly était assise à la table de la salle à manger, dans un silence assourdissant qu'Erin et Shiri s'efforçaient de soulager. Au milieu de la table trônait un gros gâteau épais et crémeux à souhait. « Joyeux Sweet Sixteen », pouvait-on lire en petites lettres chocolatées.

Molly regarda l'horloge, ornée de rubans blancs. Il était dix-huit heures. Elle se leva et commença à décrocher les ballons qui décoraient le salon.

— Ça suffit comme ça. Personne ne viendra plus. Je range.

Shiri eut un sourire faussement enjoué :

— Et nous alors ? On peut quand même en profiter ! On ne va quand même pas se priver d'un aussi beau gâteau. Allez, on va le goûter.

Molly détacha une grappe de ballons nacrés,

tandis que sa mère plantait la lame dans l'épaisse génoise au chocolat. C'était sinistre et spongieux.

La sonnette de la porte l'interrompit. Molly lâcha les ballons, qui disparurent à petits bonds derrière le canapé.

— C'est peut-être Mary et Suzanna ? Elles ont pu changer d'avis !

Molly courut vers la porte, dans sa jolie robe de mousseline verte qu'elle avait achetée un an auparavant, en prévision de l'événement.

Elle l'ouvrit sur Vince, qui lui tendait un bouquet de fleurs. Il était très bien habillé et sentait bon l'eau de Cologne. Cédrat.

— Entre ! cria Molly, reconstruisant aussitôt son moral en ruines.

Elle l'entraîna gaiement vers le canapé, sous les yeux ravis d'Erin, qui s'empressa de leur apporter une part de gâteau. Suivie de Shiri, elle s'éclipsa dans la cuisine.

— Molly, je ne vais pas rester longtemps, fit Vince après un petit moment.

— Attends ! On pourrait écouter de la musique ! Ou parler de ton bouquin !

Elle courut pour aller le chercher et le brandit, enthousiaste :

— Je l'ai presque terminé ! Je traverserais bien l'Amérique comme Sal Paradise, moi !

La voix de Vince claqua :

— En auto-stop ? Tu crois que tu ferais combien de kilomètres avant de te faire violer par un redneck imbibé ?

Il plaisantait à moitié. Molly l'avait toujours connu porteur d'une violente rancœur envers les Blancs. Il faisait partie de ceux dont la révolte passait par la haine et l'agressivité.

Elle reposa son assiette :

— Tu n'étais vraiment pas obligé.

— Excuse-moi. Mais c'est plus fort que moi.

Il se débarrassa également du gâteau et reprit :

— Je ne comprends pas pourquoi tu fais ça.

— Pourquoi je fais quoi ?

— Tu le sais très bien.

Il secoua la tête :

— C'était perdu d'avance. Ils ne nous accepteront jamais. Dis-moi que tu t'es fait un seul ami là-bas, un seul, et je te dirai que tu n'as pas enduré tout ça pour rien.

Molly détourna le regard. Si quelques Blancs ne semblaient pas opposés à lui tendre la main, aucun d'entre eux n'avait dépassé le stade de la bonne volonté.

Vince poursuivit :

— Tout ce que tu en auras retiré, c'est de l'humiliation et de la déception. De la rancœur et de la haine. Remarque, au moins, maintenant, tu me comprends.

— Stop, ordonna Molly, les dents serrées. Soit on change de sujet, soit tu t'en vas. J'ai seize ans aujourd'hui, j'aimerais au moins jouer à être heureuse.

Vince baissa les yeux, visiblement gêné :

— Molly, euh, comment te dire. Je suis… hum… attendu.

Molly sentit le feu monter à ses joues. Quelle idiote elle faisait. Ce n'était pas pour elle qu'il s'était si bien habillé.

Vince reprit :

— Je dois aller chez Susanna, elle fait une fête ce soir, je suis déjà en retard.

Une fête chez Susanna. Molly n'en avait même pas entendu parler. L'intégration lui avait décidément tout volé. Lui restait-il une place ailleurs qu'entre les quatre murs de sa maison ? Au lycée, les Blancs voulaient lui faire la peau. Et maintenant, même les siens la laissaient tomber. Y compris Suzanna, une amie de dix ans. Au moins aurait-elle pu avoir la décence de ne pas organiser une fête le jour de ses seize ans.

Vince se leva, mal à l'aise. Molly le raccompagna à la porte et, après l'avoir refermée, elle se mit à pleurer ses *sweet sixteen* qu'elle rêverait à jamais.

GRACE

Sur les sièges en cuir de l'Oldsmobile des Sanders, Grace était aux anges. Il s'agissait du tout dernier modèle, entièrement redessiné, et celui-ci était même équipé de vitres électriques, ce qu'elle n'avait encore jamais vu. De temps à autre, elle jetait un petit regard à Sherwood.

L'après-midi n'aurait pas pu mieux se dérouler. Le jeu avait été agréable et animé, les amis de Sherwood étaient sympathiques et les discussions pleines d'allusions. La seule inconnue résidait maintenant dans l'attitude à adopter quand il la déposerait devant chez elle. Allait-il tenter de l'embrasser ? Et, le cas échéant, devrait-elle se laisser faire, n'était-ce pas prématuré ?

— Un peu de musique ? demanda Sherwood en tournant le bouton de la radio.

L'habitacle se mit à vibrer au son de la voix de Frankie Lymon. Il était rare de l'entendre à la radio. Depuis qu'il avait osé faire danser une Blanche dans un show télévisé, au mois de juillet, ses ventes de disques s'étaient effondrées et sa maison de disque avait résilié son contrat. Grace commença à bouger le pied, en cadence.

— J'adore le doo-wop ! Pas toi ?

Sherwood eut une moue méprisante :

— Mmh. Ça reste une musique de Noirs.

Grace s'entendit ajouter :

— Cela étant dit, à la radio, ça ne se voit pas tellement. Et puis ce qui compte, c'est…

Soudain, Grace se tut. Qu'il soit blanc, noir, gros, maigre, complètement crétin ou diplômé de Harvard, elle était d'avis qu'il était stupide de juger une chanson en fonction de celui qui la chantait. Pour elle, tout ce qui comptait, c'est le plaisir qu'elle avait à l'écouter. Mais, à nouveau, elle sentit qu'il était préférable de ne pas crier ses pensées sur tous les toits. Et, en premier lieu, dans cet habitacle.

Pendant que la musique continuait à jouer, Grace vérifia discrètement son image dans le rétroviseur. Ses boucles blondes n'avaient pas bougé. Elle avait bien fait d'insister auprès de Minnie, qui s'était révélée très douée avec le fer à friser, malgré ses soupirs et ses pantomimes agacées. D'ailleurs, elle ne manquerait pas de lui faire réitérer l'exercice, histoire qu'elle ne perde pas la main.

La voiture s'immobilisa à un feu rouge, et une jeune Noire traversa la route. Elle portait des lunettes à écailles qui semblaient peser des tonnes et avançait, les épaules rentrées. D'un seul coup, Grace crut voir le visage de la fille se recouvrir d'encre noire, ruisselant sur ses vêtements, se répandant sur le bitume jusqu'à créer une sorte de marécage sous ses pieds. Troublée, Grace chercha quelque chose à dire pour chasser l'image de ses pensées. Tiens, elle allait demander à Sherwood s'il avait entendu parler de ce spectacle à la mode, *West Side Story*. Il semblait faire fureur à Broadway.

— Tu…

Grace et Sherwood se regardèrent en souriant. Ils avaient parlé en même temps.

— Vas-y, le pria Grace.

« Si possible, toujours laisser choisir le sujet de conversation. »

— Alors, à vous aussi on a fourgué un de ces négros, en classe ?

Grace pesta intérieurement. Pitié, pas encore ça. L'intégration, l'intégration, toujours l'intégration.

Il n'avait pas autre chose à dire ? Parler du bal de fin d'année, par exemple ? Il n'avait plus que quinze jours pour l'inviter. Le sujet semblait quand même autrement plus pressé. Sa robe était prête, ses chaussures aussi. Et, vu ce que ça lui avait coûté, il n'était pas question de se présenter au bras d'un cavalier de second rang.

— Dans la famille, on n'est vraiment pas gâtés. Figure-toi que, moi aussi, j'en ai un dans mon cours de maths.

Sherwood était tout décoiffé, ce qui lui allait particulièrement bien. Grace répondit à contrecœur, irritée :

— Ah bon ? Comment est-ce qu'il s'appelle ?

— Conrad Bishop. Le seul à être en dernière année. S'ils s'imaginent qu'un nègre puisse être diplômé du Lycée central, ils se fourrent le doigt dans l'œil. Ils se croient où ? Chez ces tarés de New-Yorkais ? Crois-moi, on va le faire dégager.

Comme le feu passait au vert, il écrasa le pied sur la pédale d'accélérateur.

La voiture s'engagea dans la rue qui la conduisait chez elle, bordée d'ormes et de peupliers. Grace sentit son cœur accélérer, au fur et à mesure qu'ils ralentissaient. Le moment crucial arrivait. Quand l'Oldsmobile finit par s'arrêter, Grace se força à inspirer profondément. Discrètement, efficacement.

Quand elle fut prête, elle posa ses mains à plat sur sa jupe. Elle venait de faire son choix : pas question de se laisser faire dès le premier rendez-vous. Ce n'était pas du tout vieux jeu, c'était calculé. Elle allait le faire mijoter un peu. Même Minnie le lui avait conseillé.

— Hem… merci Sherwood. J'ai passé une très bonne après-midi.

Le jeune homme coupa le contact puis posa son bras sur le dossier du siège passager. Elle pouvait sentir son haleine. Menthe, cola, tabac.

— Moi aussi.

Comme il s'approchait encore, Grace se dépêcha d'ouvrir la porte avant de changer d'avis. Seigneur, elle avait une furieuse envie de se laisser embrasser. Ce qui lui aurait permis de parader dès lundi, quand elle retournerait au lycée. Elle avait hâte de voir la tête des autres filles.

Sherwood la regarda sortir, visiblement frustré.

— Alors, à lundi ?

Grace hocha la tête. Il ajouta :

— On se voit au Roof Garden Cafe à la pause déjeuner ?

— Si tu veux.

Grace avait hâte de raconter sa victoire à Minnie. Elle s'engagea dans l'allée et remarqua que le cornouiller avait pris une superbe teinte écarlate.

Puis elle regagna la maison à petits pas précipités, portée par des semelles de vent.

MERCREDI 18 DÉCEMBRE 1957

LA GAZETTE DE L'ARKANSAS

LYCÉE CENTRAL : ILS NE SONT PLUS QUE 8 !

Hier, à la mi-journée, une grave altercation s'est produite à la cafétéria du lycée. Les témoins rapportent que Sincerity Brown, l'une des neuf étudiants ayant intégré le Lycée central en septembre dernier, a subitement renversé son bol de chili sur la tête d'un étudiant de troisième année.

« Nous ne pouvons tolérer un tel comportement dans notre établissement », a commenté Leroy Thomson, le principal du lycée. Le conseil d'administration a donc immédiatement pris les sanctions qui s'imposaient en renvoyant la jeune étudiante.

Dans un communiqué spécial, la présidente de la Ligue des mères blanches, Kathy Sanders, a tenu à souligner que cet événement ne venait que confirmer l'inanité du projet d'intégration.

« Par nature, a-t-elle expliqué, nos deux races ne peuvent pas cohabiter. Les noirs sont dangereux et ne maîtrisent pas leurs pulsions. »

GRACE

Grace pressa le pas. Sherwood lui avait donné rendez-vous chez lui, et elle avait hâte d'arriver, surtout que ses nouvelles chaussures lui faisaient affreusement mal aux talons.

Après la partie de bowling, quelques jours plus tôt, il l'avait officiellement invitée à l'accompagner au bal de fin d'année, et Grace avait compris que la partie était gagnée. Aussi avait-elle subitement décidé qu'il était temps qu'elle se laisse embrasser. À dire vrai, c'est elle qui avait pris les devants. Elle s'était jetée sur lui après le déjeuner, histoire de bien verrouiller l'opération. Le baiser avait été long et étudié, comme elle l'avait souhaité. Sherwood avait ri, visiblement ravi de ce qu'il prenait pour de la spontanéité.

Grace traversa le perron de la maison des Sanders, qui était désert. Pas même une feuille morte sur le bois laqué. Une fois, Martha avait oublié trois verres d'orangeade sur la table basse, et la mère Sanders lui avait passé un savon mémorable. Grace s'en rappelait bien, elle s'était sentie affreusement gênée. Pour cette cinglée de Katherine Sanders, pas pour Martha.

Grace posa son doigt sur la sonnette et se fit la réflexion que son cœur battait moins fort que les fois précédentes. C'était toujours le même refrain : dès qu'elle sortait officiellement avec quelqu'un, la chose prenait tout de suite un tour moins palpitant. Elle eut une pensée pour sa mère et pour toutes ces femmes, qui, chaque matin, avaient la certitude d'ouvrir l'œil sur le même partenaire. Elle eut une moue dégoûtée. Cela lui semblait si… commun.

Ce fut Brook qui vint ouvrir. Elle portait encore une nouvelle robe, et Grace se consola en décidant qu'elle ne lui allait pas du tout. Depuis l'épisode de l'encre, Grace s'était détachée de ses deux meilleures amies, sans pour autant que ce soit clairement affirmé. Brook l'avait bien senti. Grace lui trouva un air distant.

— Ha, c'est toi. Sherwood m'a dit que tu passerais.

Grace sourit et ne put s'empêcher de répondre :

— Bonjour Brook. Je vais bien, merci.

« Oh zut, pensa-t-elle, un peu amusée. Je ne peux vraiment pas la fermer. » Elle reprit :

— Oui, ton frère m'a invitée. Est-ce qu'il est là ?

Brook hocha la tête :

— Il est au téléphone. Tu peux attendre dans le petit salon.

En la précédant dans le couloir, elle ajouta d'un air moqueur :

— À moins que tu ne préfères nous aider ? Maman et moi, on prépare la réunion de la Ligue de ce soir. Avec le coup du chili, cette idiote de négresse n'aurait pas pu mieux agir.

La ligue était en effet loin d'avoir abandonné la partie. Après avoir lancé une collecte de fonds dans le but de « persuader » quelques soldats d'être « moins regardants » sur la sécurité, par exemple en haut des escaliers, elles remuaient désormais ciel et terre pour que l'expérience intégrationniste ne soit pas réitérée à la prochaine rentrée. Dans cette perspective, le comportement de Sincerity tombait à point nommé. Quelle meilleure preuve de l'incapacité qu'avaient ces nègres à se tenir ? De l'incongruité de leur présence au milieu de Blancs ?

Grace répondit, tout aussi hypocrite :

— Oh, je ne sais pas si je vous serai d'un très grand secours. Tu as raison, je vais attendre dans le petit salon.

Maintenant que Sherwood et elle étaient ensemble, elle ne voyait vraiment pas l'intérêt de continuer à se créer des obligations avec Brook.

— Comme tu veux.

Brook disparut dans le couloir, et Grace se dirigea nonchalamment vers la pièce qui lui avait été indiquée. Tout bien réfléchi, ça faisait un moment que Brook lui tapait sur le système. Elle ne savait pas exactement depuis quand, mais ça avait certainement commencé avant la rentrée. Cela avait dû se faire petit à petit, comme quand on se réveille un matin en réalisant qu'on n'est plus un enfant.

Dommage, elles avaient pourtant été si bien, ensemble. Les nuits passées à rêver de leur vie future ou à critiquer toutes les filles du lycée. Les fringues qu'elles se prêtaient. Les vacances, quand elles étaient plus petites. Une année, les Sanders avaient emmené Grace faire du ski dans les Rocheuses. Elle avait passé la semaine les fesses trempées, mais s'était franchement amusée.

Sherwood la cueillit sur le seuil de la porte du petit salon. Il l'attira par la taille et lui appliqua un franc baiser sur les lèvres.

— Tu es encore plus belle qu'hier.

Grace répondit du tac au tac :

— Attends de me voir demain.

Sherwood l'embrassa à nouveau, les yeux remplis d'impatience.

— Veux-tu me faire une faveur ? Attends-moi encore deux minutes, je dois rappeler quelqu'un. Ensuite, je t'emmène faire un tour en ville. Patinoire, ça te dit ?

Grace hocha la tête, légèrement vexée. Qu'est-ce qui était suffisamment important pour qu'il la fasse patienter ?

Sherwood disparut en direction du hall d'entrée. Grace entra dans le petit salon et commença à examiner les bibelots. Tout était toujours si propre et ordonné, c'était à en attraper le vertige.

Après quelques minutes, elle entendit la voix de Sherwood résonner dans le bureau de son père. Elle brûlait de savoir qui il appelait.

Grace ne mit pas longtemps à se décider. Autour d'elle, tout semblait silencieux. Brook et sa mère devaient être dans la salle à manger, et Grace les imagina, absorbées dans la rédaction de leur dernier brûlot, cherchant la juste expression, celle qui ferait mouche à tous les coups.

Doucement, sur la pointe de ses ballerines, Grace sortit du petit salon. Elle fit quelques pas dans le couloir, retenant son souffle. Heureusement que ce n'était pas du parquet. Elle s'arrêta juste avant le bureau de Mr Sanders, derrière une grande armoire qui sentait bon le bois ciré.

Grace tendit l'oreille. De là où elle était, elle ne pouvait pas voir Sherwood, mais avait compris qu'il avait mis sa main devant le combiné. Loin de la décourager, cela ne fit qu'aiguiser sa curiosité. Deux coups de fils consécutifs. À qui diable pouvait-il parler ? Il valait mieux pour lui que ce ne soit pas encore cette Lucy. Depuis le début, Grace l'avait prise en grippe. Elle ne pouvait pas la souffrir. C'était physique.

Au bout de quelques instants, quand son oreille se fut adaptée, elle saisit au vol quelques bribes de la conversation.

Elle avait compris « choper » et « négro de Jim Crow ». Il y avait aussi deux mots qu'elle avait interprétés comme « Klan » et « échafaudage », mais, à la réflexion, ç'aurait tout aussi bien pu être « quand » et « échafauder ».

En entendant Sherwood saluer son interlocuteur, elle se dépêcha de regagner le petit salon, priant pour que son visage ne trahisse pas son trouble. Elle se rua sur la réplique d'un œuf de Fabergé, qu'elle fit mine de détailler sous toutes les coutures. Un œuf rose incrusté d'une horloge et surmonté d'un coq au plumage vert, rouge et jaune. Franchement, c'était grotesque.

— Excuse-moi, annonça Sherwood en la rejoignant. Maintenant, je te promets, je reste avec toi.

Grace se força à lui sourire. Elle avait beau être large d'esprit, il y a des choses qui la dépassaient. Si Sherwood avait quelque chose à voir avec le Klan, comment allait-elle arriver à l'aimer ?

Si au moins elle avait pu l'apprendre *après* le bal de fin d'année, ça lui aurait évité d'avoir à jouer la comédie pendant toute la soirée. Peut-être même que cela ternirait son éclat et l'empêcherait d'être élue reine du bal.

Elle se mordit la lèvre. Sa curiosité la perdrait.

MOLLY

C'est lorsqu'elle étudiait à Horace-Mann, l'année précédente, que Molly avait assisté à son premier bal de fin d'année. La fête avait été loin d'être aussi pailletée que celles qui semblaient être données dans les lycées de Blancs, mais Molly en gardait un souvenir haut en couleur. Tout le monde avait participé, apportant çà et là des plantes, des rubans et des ballons, nouant des tissus autour des chaises, nettoyant les vitres, secouant les rideaux. À part l'odeur aigrelette qui n'avait pas réussi à être masquée, la cafétéria était méconnaissable. Molly avait passé toute l'après-midi chez Suzanna, à se maquiller, à se coiffer et à rire. Puis, sur le coup de dix-huit heures trente, leurs cavaliers étaient timidement venus les chercher. Il s'agissait de deux camarades de classe, très sympathiques mais pour lesquels ni l'une ni l'autre n'avaient de sentiment particulier. Elles les avaient suivis, le cœur léger sous leurs robes apprêtées.

La soirée s'était ouverte sur une adaptation plutôt avant-gardiste de Hamlet, donnée par les étudiants de première année. Par la suite, la musique avait été lancée. Frankie Lymon, Bill Haley and His Comets, Gene Vincent. Molly avait rejoint la piste avec plaisir, pendant que Suzanna buvait du punch introduit en douce par un étudiant pour lequel elle craquait depuis un bon bout de temps.

Au milieu de la soirée, comme Molly cherchait son amie, elle l'avait retrouvée penchée sur le lavabo des toilettes, complètement éméchée. Elle avait alors entrepris de la faire sortir prendre l'air, pour essayer de la dégriser. Là, elle l'avait fait asseoir sur le banc de ferraille, sous le grand chêne. Aux côtés d'une Suzanna gémissante, Molly avait empli ses yeux de nuit, à travers les branches gelées. C'est à ce moment-là qu'elle avait rencontré Vince. Comme arrivé de nulle part, il avait observé Suzanna avant de déclamer, imitant le prince de la pièce de Shakespeare :

— Boire ou ne pas boire, telle est la question.

Molly avait ri. Puis elle avait détaillé ce grand garçon qui semblait avoir grandi trop vite. Son long corps mince, presque fragile, contrastait avec l'assurance qui se lisait sur son visage. Il n'était pas vraiment beau, mais l'irrégularité de ses traits avait quelque chose d'attirant.

Presque un an jour pour jour après ce premier bal, Molly était occupée à trier du linge en compagnie de sa mère. Elle plia un torchon blanc en songeant que, au même moment, les deux mille cinq cents étudiants du Lycée central devaient être occupés à parfaire leur tenue pour un bal de fin d'année qui s'annonçait sensationnel. Les couples les plus en vue étaient certainement en train de se pomponner, au cas où ils devraient se retrouver sous les feux des projecteurs lors de l'élection du roi et de la reine de la soirée.

Cependant, Molly n'éprouvait aucune amertume à devoir rester à la maison alors que d'autres allaient s'amuser des heures durant. Les vacances d'hiver commençaient, et cette perspective suffisait parfaitement à son bonheur. Elle avait amplement besoin de ces quinze jours de répit pour se reposer de toute la tension du trimestre écoulé. L'expulsion de Sincerity, quelques jours plus tôt, était venue entacher un quotidien déjà suffisamment compliqué. Si elle n'était pas réintégrée, comme Molly le redoutait, la situation ne ferait qu'empirer, et les Blancs n'auraient désormais plus qu'une idée en tête : réitérer l'exploit jusqu'à ce qu'il n'en reste aucun. En plus de cela, Molly avait accumulé un retard considérable en cours : prendre des notes en étant constamment sur ses gardes ne facilitait pas les apprentissages. Aussi comptait-elle bien travailler, et travailler encore, pendant toutes les vacances s'il le fallait. C'était obligatoire, si elle ne voulait pas se faire renvoyer.

— Grand-mère a réservé une dinde pour Noël, annonça Erin en secouant vigoureusement un chemisier. J'ai invité mon frère et mes sœurs. Il y aura aussi ta cousine Mae. Tu m'aideras à préparer le dîner ?

— Si tu veux.

Erin poursuivit, d'un ton léger :

— Je te confie la préparation des *eggnogs*[8]. De nous trois, c'est toi qui le réussis le mieux.

Molly hocha la tête et Shiri ajouta, en arrivant près d'elles :

— Et, croyez-moi, le premier qui parle d'intégration, je le fais dégager à coups de balais ! Noël, c'est Noël !

---

8. Boisson d'hiver très populaire aux États-Unis, à base d'œufs, de crème, de lait et de rhum. Elle s'apparente un peu au « lait de poule » que l'on connaît.

GRACE

Grace se réveilla en sursaut, comme la nuit précédente. Elle porta aussitôt les mains à son visage avant de comprendre, soulagée, qu'il n'était pas recouvert d'encre noire. Dans son cauchemar, le liquide était épais, poisseux. Il était rentré dans ses narines, avait commencé à couler au fond de sa gorge, l'étouffant à petit feu.

Les yeux grands ouverts dans le noir, Grace écouta le silence. Puis elle alluma sa lampe de chevet et se dirigea mécaniquement vers sa coiffeuse. Les petites fleurs de la tapisserie étaient habillées par les ombres déformées de ses objets familiers. La nuit, tout était si singulier.

Elle se laissa tomber sur son petit tabouret frangé.

Machinalement, elle attrapa sa brosse et commença à lustrer ses cheveux tout en fixant son reflet. Elle brossa longtemps, jusqu'à ce que son visage lui devienne étranger, jusqu'à ce que ses yeux ne ressemblent plus qu'à deux trous noirs.

Puis soudain, d'un seul coup, le mouvement cessa.

Depuis deux jours, elle s'efforçait d'oublier ce qu'elle avait entendu de la bouche de Sherwood. Elle avait tenté d'occuper son esprit en regardant *Richard Diamond*, cette nouvelle série pour laquelle son frère se passionnait. Elle avait furieusement feuilleté tous ses magazines, dépensé des sommes astronomiques en cadeaux de Noël, essayé toute sa garde-robe et piqué trente-quatre oranges de clous de girofle, pour aider Minnie. Mais il fallait se rendre à l'évidence. Elle était capable de beaucoup de choses, mais pas de bâillonner ses pensées.

Elle n'avait pas bougé quand Dorothy avait versé de l'encre sur Molly Costello.

Cette fois, elle ne resterait pas sans rien faire. Tout laissait à penser que, en l'occurrence, le plan était autrement plus violent. D'autant que, dans ce genre d'embuscade, tout pouvait déraper très rapidement.

De toute façon, elle avait déjà fait une croix sur son histoire avec Sherwood. Quand elle le voyait dans le regard des autres, elle le trouvait encore terriblement attirant. Mais quand elle était seule avec lui, elle avait beau se concentrer, dans son ventre, plus rien ne palpitait. Sans compter que le bal de fin d'année était déjà passé et qu'elle avait eu son heure de gloire en se présentant au bras du garçon le plus convoité du lycée. Elle regarda le délicat petit diadème doré qu'elle avait posé sur sa coiffeuse. Ils avaient été couronnés « roi et reine du Lycée » et elle avait été photographiée sous toutes les coutures, comme une actrice de cinéma, enviée et détestée.

La rentrée était dans quelques jours. Dès qu'elle en saurait un peu plus sur ce que Sherwood tramait, elle le laisserait tomber.

Grace ouvrit le robinet et y versa une généreuse rasade de bain moussant.

En regardant le niveau de l'eau monter dans la baignoire, elle pensait à cette journée de rentrée qui l'attendait. Elle n'avait pas le droit à l'erreur, même si, à sa plus grande contrariété, son plan comportait certains facteurs qu'elle ne maîtrisait pas.

Elle avait décidé que les toilettes étaient le lieu le plus indiqué. C'était le seul endroit où Grace pouvait espérer ne pas être vue en train de parler à Molly Costello et dans lequel celle-ci entrait sans son soldat. Bien entendu, elle ne comptait pas sur l'hypothèse, bien trop incertaine, que Molly y entre d'elle-même pour satisfaire un besoin naturel. Et, d'ailleurs, dans lesquelles irait-elle ? Il y en avait aux quatre coins du lycée. Aussi Grace avait-elle décidé qu'elle se posterait dans les toilettes qui étaient sur le chemin de leur salle de cours. En toute logique, Molly passerait forcément devant. À ce moment-là, elle se débrouillerait pour l'attirer à l'intérieur sans que le soldat la remarque.

Enfin, ça, c'était le scénario idéal. Que se passerait-il si Molly décidait d'emprunter un autre chemin ? Et comment ferait-elle pour détourner l'attention du soldat ? Elle n'allait tout de même pas mettre des peaux de banane sur le sol.

Grace entra dans la baignoire et se glissa sous l'eau. Et si son plan échouait ? Si elle n'arrivait pas à parler à Molly ?

Elle refit surface, le corps recouvert de mousse.

À la rigueur, elle pourrait toujours tenter d'attraper l'un des huit autres. Sauf qu'elle ne connaissait rien de leur planning et qu'il était hors de question qu'elle soit vue en train de parler à l'un de ces étudiants. Elle aurait éveillé trop de soupçons. Et ç'aurait été trop dangereux.

Grace arriva au lycée une demi-heure plus tôt que d'habitude. Son frère l'avait regardée comme une démente quand elle avait annoncé qu'elle prendrait le bus.

— Hein ? Mais, en cinq ans, tu n'as jamais mis le pied dedans ! Tu ne peux pas attendre que papa nous dépose ?

Grace avait secoué la tête. Prétextant des recherches à mener pour un devoir à rendre dans la matinée, elle avait marmonné qu'il lui était impossible de faire autrement.

Quand le bus la déposa devant le lycée, Grace ne perdit pas de temps. Elle se dirigea immédiatement vers les toilettes et s'y engouffra. Après avoir ouvert toutes les cabines pour s'assurer d'être bien seule, elle se posta derrière la porte principale, la laissant légèrement entrebâillée.

— Sept heures trente-six. Parfait, commenta-t-elle en regardant sa petite montre argentée. Normalement, je ne peux pas la rater.

Au bout de quelques minutes, les couloirs commencèrent à s'animer. Derrière la porte, Grace voyait les professeurs et les étudiants défiler.

Mark Hellman, qui s'occupait d'Onde centrale, la radio du lycée.

Ms Wile, une professeur de botanique au teint aussi terne que ses cheveux.

Quelques groupes de filles qui riaient ou qui discutaient, un garçon qu'elle n'avait jamais remarqué et qui paraissait aussi heureux qu'un saumon sous une rondelle de citron.

Bettie Kaplan, sous un hideux maquillage en camaïeu de bleu, dont on disait qu'elle couchait avec tous les types qui lui disaient bonjour. Grace était en train de penser que sa robe lui donnait l'air d'une petite montgolfière quand un changement d'atmosphère sonore l'avertit que l'une des étudiantes noires arrivait :

— Retourne dans ton champ de coton !

Grace pria pour que ce soit Molly.

— Hey, regardez ! Quelqu'un a ouvert les cages du zoo ! Un macaque-costello !

C'était bien Molly qui approchait. Grace expira un grand coup. La main sur la porte, elle se tint prête à passer à l'action. Elle passa la tête dans l'entrebâillement de la porte. Le soldat était quelques pas derrière la jeune fille.

Un autre groupe commença à insulter Molly. Grace ne bougeait plus, les encourageant secrètement à continuer. Les insultes, c'était peut-être sa seule chance de réussir.

— Poussez-vous tout le monde, négresse du 3e droit devant !

— Si on jouait un peu ? Le premier qui la chope se fait payer une tournée !

Les étudiants se gondolaient, ignorant superbement la présence du soldat. Quand celui-ci s'arrêta vers eux, tournant le dos à Grace, celle-ci se dépêcha de héler Molly.

La jeune fille marqua un temps d'arrêt et fixa Grace, surprise et angoissée. Grace tendit le bras pour agripper sa manche. Tenant fermement le tissu dans son poing serré, elle tira, du plus fort qu'elle put, tout en ramenant Molly à l'intérieur. Grace ferma la porte. La jeune fille essaya de crier.

— Ssssssshhhhh ! murmura Grace en lui plaquant la main sur la bouche.

Ce n'était pas le moment de se faire repérer. Heureusement que les couloirs étaient bruyants.

Molly essayait de se défaire de la main de Grace, qui tenait bon. Elle n'avait jamais réalisé que cette fille était plus grande qu'elle.

À la réflexion, tout le monde était plus grand qu'elle.

— Ssssssh, répéta-t-elle vigoureusement. Regarde-moi ! Calme-toi ! Je ne te veux aucun mal.

Molly ouvrait toujours des yeux ronds et paniqués, se demandant dans quel piège elle venait de tomber. Grace pouvait presque entendre les battements de son cœur. À moins que ce ne soit le sien.

— J'enlève ma main, mais tu ne cries pas. C'est compris ?

Grace comptait sur son pouvoir de persuasion. Elle ôta lentement sa main, puis, dans un vieux réflexe, se l'essuya sur la jupe. Minnie, sa bonne, était propre, mais, pour les autres, on ne pouvait pas être sûre. On l'avait toujours mise en garde contre les maladies que les Noirs véhiculaient.

Grace savait que Molly ne parlerait pas la première. Jamais un Noir n'adressait la parole à un Blanc sans y avoir expressément été invité. Elle commença :

— Tu me reconnais ? Je m'appelle Grace Anderson. Je suis avec toi pendant les cours d'histoire et de sport.

Molly hocha la tête. Grace croisa leur reflet dans la glace, en face d'elle, sur le mur de carrelage gris. Une Blanche quasiment agrippée à une Noire. Vision tout à fait incongrue. Soudain paniquée à l'idée qu'on la découvre dans une situation qu'elle ne pourrait jamais justifier, Grace poursuivit :

— Je dois faire vite. Écoute-moi. Je crois que quelque chose de grave va se produire. Je crois que cela concerne Conrad Bishop. Ne me demande pas comment je le sais. Je le sais, c'est tout.

Molly la regardait, incrédule.

— Pourquoi lui en particulier ? On est toujours *tous* visés, non ?

— C'est le seul à être en dernière année. Personne n'a envie de le voir être diplômé du Lycée central. Je ne sais pas exactement où cela va arriver, ni quand. Tout ce que je sais, c'est que quelque chose se trame. Préviens-le.

— Il y a les soldats pour nous protéger.

— Peut-être que ce sera aux abords du lycée. Ou aux toilettes. Et dis-lui de... rester loin des échafaudages.

— Des échafaudages ?

— Oui, je ne sais pas, il y en a peut-être... le lycée est grand. En tout cas, demande-lui de rester sur ses gardes, dans des endroits découverts.

— Nous sommes toujours sur nos gardes. Nous restons toujours dans des endroits découverts.

— Écoute, je suis désolée, je ne sais rien d'autre. Je voulais juste te prévenir.

Grace se mordit la lèvre. Elle aurait tant aimé en savoir plus. Elle avait tenté à plusieurs reprises de faire parler Sherwood mais avait fini par abandonner. Il n'était pas idiot et avait commencé à paraître étonné par ses questions. Elle avait peur qu'il se doute de quelque chose.

C'était finalement grâce à son frère que son enquête avait avancé. Innocemment, elle lui avait demandé s'il savait si l'un des étudiants avait été surnommé « Jim Crow », au lycée. Il avait haussé les épaules en répondant, comme si c'était évident :

— Conrad Bishop. Il lui ressemble, non ?

Toujours adossée contre le mur des toilettes, Molly fronça les sourcils :

— Mais pourquoi est-ce que je devrais te faire confiance ? Pourquoi une Blanche se mettrait-elle de notre côté ?

Grace planta à nouveau ses yeux tout au fond des siens, le bleu dans le noir. Elle avait réfléchi à tout un éventail d'arguments, mais répondit simplement :

— Je ne suis du côté de personne. Juste du mien.

Quelques secondes plus tard, Grace poussa la porte des toilettes. Elle s'ouvrit sur Judy et, avec un sang-froid qui l'étonna, Grace lui empoigna le bras. Les fêtes de Noël s'étaient-elles bien passées ? Elle, elle avait reçu *Youth Dew*, le célèbre parfum d'Estée Lauder – œillet, ylang et clou de girofle – ainsi qu'un nouveau fer à friser. Super-pratique à utiliser.

Elle fit mine d'écouter Judy faire en retour l'exposé de ses présents en priant intérieurement que celle-ci n'ait rien vu à l'intérieur des toilettes.

MOLLY

La porte des toilettes se referma. Molly n'était pas tout à fait convaincue de la sincérité de la petite Blanche. Déjà, Grace Anderson était coquette et populaire. Toujours fourrée dans les toilettes, à se maquiller ou se recoiffer. Élue reine du bal de fin d'année. En résumé, rien à voir avec l'idée qu'elle se faisait des progressistes. Et, par-dessus tout, elle était amie avec Brook Sanders et Dorothy Mitchell, même si, depuis quelque temps, elle avait remarqué qu'elles semblaient légèrement en froid. D'un autre côté, ce qu'elle avait raconté lui paraissait plus que plausible. Le fait que Conrad soit particulièrement visé était très crédible. S'il lui arrivait quelque chose, Molly ne pourrait pas se le pardonner. Et si cela se produisait dans la journée ? Si, comme elle, on l'attendait dans les toilettes ? Certains n'avaient peur de rien, habitués à pouvoir agir contre les Noirs en toute impunité.

Molly regarda sa montre. Il lui restait dix minutes avant le début du cours d'histoire, ce qui était suffisant pour réussir à lui parler. Si elle faisait vite. Elle sortit des toilettes, et du regard, chercha immédiatement la protection de Danny. Aucune trace de lui.

« Mince, pensa-t-elle. Il n'a pas dû me voir entrer ici, quand Grace Anderson m'a attrapée. Où est-ce qu'il est ? »

Rapidement, elle évalua les différents scenarii qui s'offraient à elle. Mais le temps pressait. Elle se résolut à aller trouver Conrad, sur-le-champ. Elle n'en avait pas pour longtemps.

Molly croisa un groupe de filles à l'air hostile. Angoissée à la pensée que c'était la première fois depuis longtemps qu'elle se retrouvait sans le soldat qui la protégeait, elle se mit à courir. Sur son passage, les insultes pleuvaient, mais Molly remarqua avec incrédulité que personne ne semblait tenté de lui sauter dessus. Peut-être que, finalement, ils s'habituaient.

Trois minutes plus tard, Molly arrivait devant la classe de Conrad Bishop quand un pied la fit trébucher.

Elle s'étala sur le sol carrelé.

Elle releva la tête : un étudiant hilare la toisait. Redevenant sérieux, il lui cracha :

— Qu'est-ce que tu fous là ? Tu crois que l'autre dégénéré de Jim Crow ne nous suffit pas ?

Un de ses amis s'était approché et lui lança un coup de pied dans les côtes :

— Alors, on fait moins la maligne, quand il n'y a pas de soldat ! Dégage d'ici, négresse.

Molly se recroquevilla de douleur. Quand même, si Dieu était à ses côtés, pourquoi s'acharnait-il à lui rendre la tâche si compliquée ?

Conrad Bishop accourut vers elle et l'aida à se relever, tandis que le soldat du jeune homme faisait fuir les deux garçons.

Molly profita de ce moment de répit pour formuler à Conrad ses mises en garde.

Celui-ci la remercia d'un petit signe de tête :

— Merci. C'est sympa.

— Tu feras attention ? Le matin et le soir, quand tu descends de voiture, le temps que tu rejoignes ton soldat ?

Conrad haussa les épaules :

— Tu sais, soldats ou pas, s'ils veulent vraiment me casser la gueule, ils y arriveront. Je sais bien que je suis une cible particulière. Tate m'a déjà mis en garde. Ils sont prêts à tout pour ne pas avoir un nègre diplômé à la fin de l'année.

Il lui mit la main sur l'épaule :

— Fais attention aussi. S'ils ne me coincent pas, il se pourrait très bien qu'ils se rabattent sur l'un d'entre vous. Ça ferait toujours un de moins.

Dix jours plus tard, Madeleine Stanford était violemment poussée dans l'escalier. La chute fut gravissime, et la jeune fille resta plusieurs jours dans le coma.

La presse s'empara de la nouvelle, détaillant la gravité des blessures, information immédiatement relayée dans d'autres États par diverses associations. À reculons, par crainte du qu'en-dira-t-on, le conseil d'administration se fendit d'une réaction. L'étudiant qui avait commis les faits – difficile à retrouver puisque aucun élève n'avait voulu témoigner – avait été suspendu pour quelques jours.

Molly ne sut pas si elle devait voir dans la chute de Madeleine une simple coïncidence. Quoi qu'il en soit, elle eut soudain envie de croire en la sincérité de la fille blanche.

Quand Madeleine fut sortie du coma, Molly prit son courage à deux mains et profita de ce que personne ne les voyait pour aller remercier Grace Anderson. « Pour avoir essayé. »

La Blanche lui avait souri, désolée de ce qui était arrivé. Dans son regard, Molly n'avait lu aucun calcul, aucune animosité. Elles avaient échangé quelques mots, d'égale à égale. De crainte de paraître ridicule, Molly n'avait pas osé lui dire à quel point ce simple fait lui donnait envie d'avancer.

GRACE

À cette heure de la journée, le Roof Garden Cafe grouillait d'étudiants. La nourriture n'y était pas foncièrement meilleure qu'à la cafétéria du lycée, mais l'ambiance branchée en faisait le rendez-vous privilégié de tous ceux qui se souciaient de leur popularité.

Grace avait pris l'habitude d'y retrouver Sherwood et ses amis, pour parler de tout et de rien, autour de sandwiches et autres snacks sans âme, préparés à la hâte.

Grace se fraya un chemin entre les tables et les banquettes en similicuir bleu, saluant quelques lycéens au passage. Une jeune fille un peu boulotte laissa échapper son verre de cola, qui se brisa juste devant les pieds de Grace. Cette dernière lui jeta un regard ulcéré. Il s'en était fallu de peu que sa jupe soit totalement ruinée.

Dans un coin de la salle, Sherwood patientait en tentant de battre son record personnel au flipper. Quand il aperçut celle qu'il attendait, il cessa immédiatement sa partie, ce qui irrita Grace au plus haut point. Elle détestait les hommes qui se comportaient comme des petits chiens.

Il l'accueillit par un baiser mouillé.

— Hello, *sweetie*.

— Salut Sherwood, répondit Grace d'un ton refroidissant.

Mais ce n'était pas sa faute. Elle avait l'impression qu'une carpe venait de l'embrasser.

Elle sourit à Sherwood en essayant de se concentrer sur ses traits masculins et délicats. Pourquoi diable l'agaçait-il autant, depuis quelques jours ?

— Tu prends quelque chose ?

Grace opina du chef et balaya la salle du regard, à la recherche d'une table inoccupée.

Quelques minutes plus tard, quand ils furent assis, une serveuse vint prendre la commande.

Le choix de Grace se porta sur un club sandwich et une menthe à l'eau, tandis que Sherwood choisissait son habituel sandwich confiture-beurre de cacahuètes.

La conversation démarra sur les derniers potins. Est-ce que Grace était au courant qu'une étudiante de dernière année avait tenté de flirter avec un professeur de chimie, pendant le bal de fin d'année ?

En temps normal, Grace se serait délectée de ce genre d'information. Mais elle écoutait la voix de Sherwood sans vraiment s'intéresser à ce qu'il disait. Elle se demandait comment il allait réagir quand elle lui annoncerait qu'elle n'avait plus envie de le fréquenter. Pitié, pas de scandale. Elle n'avait aucune envie qu'il se donne en spectacle au milieu de la salle.

Sherwood avait changé de sujet :

— Franchement, je ne comprends pas comment le conseil d'administration a pu laisser faire ça.

— Mmmh… tu disais ?

— Cette négresse de Sincerity qui s'est fait réintégrer ! Mais qu'est-ce qui se passe dans la tête du principal ? Ma mère est en train de…

Grace lui coupa la parole :

— Écoute, Sherwood, j'ai quelque chose à te dire.

La serveuse les interrompit, posant les plats sur la table :

— Et voilà ! Un club et un *peanut butter*. Deux dollars cinquante.

Sherwood sortit les billets sans rien dire. Quand la serveuse lui eut rendu la monnaie, il murmura :

– J'ai l'impression que je dois m'inquiéter, là. J'ai raison ?

Grace agita la paille dans le sirop, pour que la menthe se mêle à l'eau. Elle lui jeta un regard approbateur :

– Je suis désolée.

Sherwood continua :

– Mais, pourquoi ? On est pourtant bien, tous les deux ? Tout le monde nous envie, on est le plus beau couple du lycée !

Grace repoussa son verre en répétant :

– Je suis désolée, Sherwood. Ce n'est pas contre toi, c'est…

Elle se tut. Elle n'avait aucune envie de s'abaisser à lui sortir d'affligeants clichés. Si au moins c'était lui qui avait poussé Madeleine dans l'escalier, elle aurait pu lui expliquer qu'elle détestait la violence. Mais non. Même si elle le soupçonnait fortement d'y avoir été mêlé et de ne pas avoir abandonné le complot contre Conrad Bishop, elle ne pouvait pas l'accuser sans preuve.

Sherwood attrapa son sandwich et tourna les talons sans la regarder.

« Eh bien, voilà, c'est fait », pensa Grace en avalant une gorgée du liquide sucré.

■ ■ ■

Dix-huit heures. Les cours étaient terminés. Parmi le flot d'étudiants qui se dirigeaient vers la sortie du lycée, Grace aperçut Molly Costello. Aux côtés de son soldat, elle avançait, imperturbable, tandis que, derrière elle, un étudiant de première année la suivait en imitant la démarche d'un singe. Dieu que c'était puéril. Et lassant.

Grace pressa le pas pour se retrouver à hauteur de Molly. Elle lui sourit et lui adressa un petit signe de tête encourageant.

— À demain, Molly ! lança-t-elle bien fort, avant de la dépasser et de marcher vers la sortie, le menton levé.

Ce n'était pas la première fois qu'elle lui montrait des signes manifestes de soutien. La semaine précédente, elle avait même prévenu Molly qu'on avait recouvert sa chaise de beurre de cacahuètes parsemé de verre brisé. En entrant dans la classe, Molly avait choisi une autre place. Grace s'était délectée de la déconvenue d'Anton, qui croyait avoir si bien préparé sa farce.

Les autres pouvaient bien penser ce qu'ils voulaient, désormais, elle s'en fichait éperdument. Dans moins de deux mois, l'année scolaire serait terminée et, pour la suite, elle avait bien l'intention de débarrasser le plancher. Hors de question de continuer à étudier au Lycée central. Elle s'y sentait de plus en plus isolée. Même Judy l'avait laissée tomber, préférant se rallier à Brook, qu'elle suivait partout comme un laquais. Quel manque de personnalité.

Une seule chose ennuyait Grace. Maintenant qu'elle était en froid avec Brook, Dorothy et Judy, elle n'aurait pas la joie de leur en mettre plein la vue avec la fête qu'elle donnerait pendant l'été, pour ses *sweet sixteen*.

■ ■ ■

Grace écoutait la petite musique de ses bottines frappant le trottoir. Elle avait toujours aimé les chaussures qui faisaient du bruit et cette paire émettait le claquement parfait. Elle plongea ses mains dans les poches de sa pèlerine. En ce mois de mars, il faisait encore froid, mais les températures commençaient à remonter. Encore quelques semaines, et elle pourrait porter de jolies robes légères.

Soudain, Grace eut la désagréable sensation d'être observée. Elle se retourna. Tout semblait normal. Sur le trottoir d'en face, une femme qui promenait un chien obèse tourna à l'angle de la rue. Une voiture la dépassa, poussive.

Grace reprit sa marche sur quelques mètres. Ses pas résonnaient étrangement. Trop étrangement pour qu'il ne s'agisse que des siens, non ? Et si c'était Sherwood ? Depuis qu'elle l'avait quitté, il ne lui avait même pas adressé la parole. Elle se retourna à nouveau. Rien. Pénombre, lumières de lampadaires.

Peut-être qu'elle se faisait des idées.

— Il ne peut rien m'arriver ici, murmura-t-elle pour se donner du courage. Il y a toujours des voitures qui circulent, personne ne serait assez fou pour agresser quelqu'un.

Elle n'était plus très loin du parking où l'attendait son père. Elle avait hâte de retrouver la chaleur de l'habitacle, même s'il avait grillé trois cigarettes en l'attendant et qu'elle devrait se relaver les cheveux, qui empesteraient la fumée.

Tout se passa très vite.

Grace se sentit tirée par le manteau puis soulevée par des bras puissants. Elle tenta de hurler, mais son cri resta coincé au fond de sa gorge. Emportée par un géant, elle battait désespérément la nuit noire de ses bottines au si joli petit claquement.

Le colosse la planta dans une ruelle étroite, dans laquelle régnait une révoltante odeur d'urine. Tandis qu'il lui maintenait les bras tordus derrière le dos, elle sentit d'autres mains la bâillonner fermement. Elle tenta à nouveau de se débattre, ce qui était totalement et ridiculement inutile.

Une lumière aveuglante lui déchira la cornée. Une grosse lampe torche braquait son œil inquisiteur sur elle. Derrière la lumière, deux silhouettes se découpaient, dans toute l'horreur de leurs longs masques blancs.

Grace eut la nausée.

Le Klan. Et dire qu'elle avait pensé que c'était ce pauvre Sherwood qui la suivait. On était loin de la vengeance d'un jeune garçon éconduit.

Dans un éclair de lucidité qui l'amusa presque, elle se demanda s'il était possible de vomir tout en étant bâillonnée.

Une première claque interrompit ses spéculations :

— Haa, on fait moins la fière, maintenant !

Grace tenta de reprendre ses esprits, hébétée. Mais un second coup, plus fort, lui emplit la bouche d'un goût métallique.

— Alors, dis-nous tout, qu'est-ce qui ne tourne pas rond dans cette jolie petite tête ?

Joignant le geste à la parole, la plus grande des silhouettes lui tapota gentiment le crâne, ce qui ne fit que redoubler la terreur de Grace.

Dans son oreille, elle sentit le souffle de son troisième agresseur, celui qui la ceinturait toujours, lui écrabouillant littéralement l'estomac :

— On fait copain-copain avec les nègres, maintenant, hein ?

Grace tremblait de tout son corps. Avec le Klan, c'était du sérieux. Elle ne serait pas la première Blanche à avoir été lynchée pour trahison. Le plus grand reprit :

— Tu te croyais au-dessus des autres ? Tu croyais que t'allais pouvoir tranquillement bavasser avec cette salope de Molly Costello ? Qu'est-ce que t'as à lui dire, hein, qu'est-ce que t'as ? Tu parles le négro, maintenant, toi ?

Une troisième claque l'empêcha de trancher entre remords et regrets. Elle sentit les larmes couler le long de ses joues brûlantes.

L'homme qui n'avait pas encore parlé enfonça la main dans sa poche. Les yeux de Grace se révulsèrent. « Pitié, implora-t-elle dans sa tête. Faites que ce ne soit pas un couteau ! »

Mais l'homme en sortit une boîte, qu'il tendit à son acolyte. Après y avoir plongé les doigts, ce dernier expliqua calmement :

— Pour quelqu'un qui aime à ce point les nègres, tu es un peu trop claire, *honey*.

Il lui montra ses mains, noircies par une pâte épaisse et brillante.

Grace vit ses paumes s'approcher de son visage, devenir de plus en plus grosses, comme dans un film, au ralenti. Puis elle sentit le contact du cirage sur ses joues, qui la fit exploser en sanglots. Elle ferma les yeux, hoquetant. L'homme passait et repassait fermement sur sa peau. L'odeur de térébenthine lui emplissait les sinus, se mêlaient au sel de ses larmes.

Quand enfin il eut terminé, l'homme se recula, satisfait :

— Ah ! voilà qui est mieux. Vous trouvez pas, les gars ?

Ses complices hochèrent vigoureusement la tête.

Celui qui la ceinturait ajouta :

— Au niveau des cheveux, c'est pas encore ça.

Grace vit l'éclair d'une lame passer sous la lumière de la torche et comprit immédiatement ce qui allait se passer. Sous le bâillon, elle tenta de crier.

Le joli petit chuchotement des lames qui s'ouvrent et se referment lui parut d'une violence inouïe. Les mèches blondes commencèrent à tomber sur le sol, aussi légères que des plumes.

— Parfait. Une vraie négresse.

Après quelques secondes suspendues dans le temps, il ajouta :

— Et tu sais ce qu'on leur fait, nous, aux négresses ?

Grace avait redouté ce moment depuis le moment où elle avait senti ces bras qui l'emprisonnaient. Ça y est, ça arrivait. C'était à *elle* que ça arrivait. Elle serait l'une de ces victimes dont on parlerait dans les journaux, de celles qui ne paraissaient exister que dans un monde parallèle. Quand elle vit la main de l'homme défaire le bouton de son pantalon, elle tenta de quitter son corps. Et de s'envoler au-dessus de cette ruelle qui allait faire disparaître à jamais la Grace Anderson qu'elle avait été.

Alors qu'elle avait les yeux fermés, la voix de Sherwood la fit sursauter.

— Hey !

Elle ouvrit immédiatement les yeux, ce qui lui fit mal. Le cirage la brûlait. Est-ce qu'elle rêvait ? Est-ce qu'il était venu la sauver ? Tout son mépris s'envola en une fraction de seconde. Elle ne pensait qu'à la possibilité d'en réchapper. Grace se força à ouvrir encore plus grands les yeux et tourna la tête en direction de la rue.

Tout son espoir retomba. Il n'y avait personne.

— Hey, ça, c'était pas prévu ! Laisse-la, c'est bon.

Le sang de Grace se glaça. La voix de Sherwood ne venait pas de la rue. Mais de derrière le masque de l'un de ses agresseurs, celui qui n'avait pas encore parlé.

La voix répéta :

— Laisse-la, elle a eu son compte.

Pas de doute. C'était bien lui. Le Sherwood, qui, il y a quelques mois de cela, l'idolâtrait comme une petite déesse.

— Tu rigoles ? Maintenant qu'elle est là…

Sherwood se mit à crier :

— Putain, mais laisse-la, je te dis !

Le corps de Grace était parcouru de soubresauts violents, qu'elle ne pouvait plus contrôler. Son sort semblait suspendu entre les deux hommes. Elle chercha à croiser les yeux de Sherwood. Il ne pouvait pas laisser faire *ça*.

Plus tard, une quatrième voix se mit à résonner :

— Putain, qu'est-ce qui se passe ici ? Robby, va appeler les flics !

Tous se retournèrent en même temps.

Grace reconnut Robert Dunaway, un étudiant de dernière année. À côté de lui, celui qui avait parlé, un autre étudiant qu'elle ne connaissait pas.

Sherwood et ses complices détalèrent dans la ruelle.

Robert Dunaway ôta le Scotch de la bouche de Grace, qui vomit à ses pieds.

MOLLY

Planté sur l'estrade de la classe, le principal Thomson était grave :

— Hier soir, votre camarade Grace Anderson a été agressée à quelques pas du lycée.

Molly sentit son cœur se soulever. Elle tourna la tête vers le bureau vide où s'asseyait habituellement la jeune fille et eut envie de hurler. Grace Anderson. Agressée. L'une des rares Blanches à oser lui parler. La seule qui lui avait déjà souri. Cela ne pouvait pas être un simple hasard. On avait voulu le lui faire payer.

Dans la classe, les étudiants étaient stupéfaits. Judy Griffin explosa en sanglots bruyants. Dorothy Mitchell fixait le principal, la bouche à demi ouverte, visiblement secouée. À côté d'elle, Brook Sanders battait frénétiquement des paupières. Sa peau avait pris une teinte légèrement grisâtre.

Après quelques minutes de confusion, Molly leva la main. Pour une fois, personne ne l'insulta. La jeune fille ne put décider s'il s'agissait de décence ou tout simplement de distraction de la part des autres étudiants.

Ms Olson fit un petit signe de tête à Molly, l'autorisant à parler. Cette dernière s'adressa au principal :

— Est-ce qu'elle va bien ?

— Oui, elle n'a pas été blessée sérieusement. Mais ne vous attendez pas à la revoir avant la fin de l'année.

— A-t-on retrouvé les coupables ? demanda Anton.

Thomson secoua la tête :

— Pour l'instant, je ne peux pas vous en dire plus. Une enquête est ouverte. Les parents de Grace ont porté plainte.

Une heure plus tard, la nouvelle s'était répandue dans tout le lycée. La popularité de Grace était telle que tout le monde ne parlait que de cela, dans un mélange d'horreur et d'excitation.

En l'absence d'information supplémentaire sur les conditions de l'agression, la rumeur allait bon train. Molly entendit dire que Grace avait été violée par trois hommes noirs, désireux de venger les humiliations subies par leurs pairs, au Lycée central. Pourquoi elle ? Le hasard.

Conrad Bishop fit remarquer, acide :

– Bien entendu, dès qu'un truc du genre se produit, ça ne peut qu'être de la faute de ces primates de Noirs.

Thelma hocha la tête :

– J'espère franchement qu'il ne s'agit que d'une rumeur. Si les faits sont avérés, c'est notre dernier jour au lycée. Conrad, tu peux dire adieu à ton diplôme !

Molly ne dit rien. Elle pensait à Vince. Bien entendu, jamais il n'aurait pu commettre une chose pareille. Mais la violence et l'agressivité qui l'animaient lui firent songer qu'en effet un Noir aurait pu passer à l'acte. La stupidité était la chose la mieux partagée au monde.

Aux alentours de onze heures, la police pénétra dans l'enceinte de l'établissement. En silence, les étudiants s'écartèrent pour laisser passer les officiers. Quelques filles se trouvèrent mal.

Les forces de l'ordre quittèrent le lycée une demi-heure plus tard, encadrant la seule personne qui avait formellement été identifiée par la victime.

Sherwood Sanders, menotté et visage fermé, se laissa mener tant bien que mal dans la fourgonnette des policiers.

Little Rock, le 29 avril 1958

Chère Grace,

Je ne sais pas si je te reverrai un jour, alors je t'écris ces quelques lignes. J'espère qu'en voyant que la lettre vient de moi tu ne la jetteras pas.

Je ne peux pas m'empêcher de me sentir coupable de ce qui est arrivé. Je me dis que si je n'étais pas venue te remercier, ce jour-là, tu ne m'aurais peut-être jamais reparlé par la suite. À l'heure où tu lis ces lignes, tu serais en train de réviser pour les examens de fin d'année.

Je sais bien que ces mots n'effaceront pas ce que tu as vécu, mais je tenais à te dire à quel point j'ai été heureuse de croiser ton chemin. Tu as été, je crois, la seule à me donner l'impression que nous n'avons pas fait tout cela pour rien. J'emporte ce souvenir avec moi. Il est précieux.

J'espère que tu vas aller mieux. Que tu ne nous en voudras pas d'avoir cru en nos chances, d'avoir essayé de faire avancer les choses. D'avoir rêvé d'égalité.

Je me permets de t'embrasser. C'est facile, par papier interposé.

Bon vent à toi.

Molly Costello.

PS : j'espère que cette lettre arrivera à temps. J'ai eu du mal à trouver ton adresse.

Coincée entre les quatre murs du salon, Molly attendait que la retransmission radiophonique commence. Elle enrageait. La cérémonie de remise des diplômes allait commencer, et elle ne pouvait pas y assister. Elle se dirigea brutalement vers la porte d'entrée, qu'elle ouvrit à la volée.

Elle porta son regard au-delà des toitures, en direction du stade Quigley, là où l'événement se déroulerait. Comment la nuit pouvait-elle être aussi normale, aussi silencieuse alors que le moment était si... décisif ?

— Vous vous rendez compte ! lança-t-elle en revenant au salon. Conrad va être le premier Noir à être diplômé du Lycée central. Et aucun d'entre nous ne sera là pour voir ça ! Ses parents ne seront même pas présents !

Molly imaginait Conrad marcher triomphalement sur l'estrade pour venir chercher le précieux papier blanc. Après tout ce qu'ils avaient enduré. C'était tellement fort qu'elle était incapable de mettre des mots sur ce qu'elle ressentait.

Elle lâcha, faute de mieux :

— Franchement, c'est... dégueulasse !

Sa mère intervint :

— Molly, moi aussi j'aurais rêvé pouvoir aller l'applaudir. Mais, je te l'ai dit et répété, c'est beaucoup trop dangereux. Tu le sais tout aussi bien que moi, aucun Noir ne pourra y assister. Même les journalistes un tant soit peu foncés devront rester à l'écart.

— Mais…

— Mais rien du tout. La cérémonie est placée sous haute surveillance. Il y a la police, le FBI et l'armée. Et tous leurs efforts seront concentrés sur la protection de Conrad. Vous avez entendu ce qu'ont dit les médias ? Il risque sa vie.

Molly savait que sa mère disait vrai. Tous ces moyens très coûteux ne seraient pas déployés si les autorités ne craignaient pas que quelque chose arrive. Surtout que tout laissait à penser que, effectivement, quelque chose se tramait. Un bâton de dynamite avait été retrouvé dans le casier du jeune homme. Il n'était pas allumé, mais le signal était clair.

Qui que soient ses éventuels agresseurs, il ne leur restait plus beaucoup de temps pour agir. Mais ils devraient jouer serré.

Shiri alluma une bougie :

— Allez viens, on va prier pour lui.

À vingt heures quarante-huit minutes précisément, Conrad Bishop fut appelé à venir chercher son diplôme.

Tous les autres étudiants, sans exception, avaient été applaudis à tout rompre, mais, quand

Conrad grimpa sur l'estrade, un horrible silence se fit.

Devant le petit poste de radio, dans leur salon, les trois femmes se serraient les mains. Les paupières closes, Shiri priait, la tête en arrière.

« Faites que personne ne lui tire dessus. Laissez-le y arriver. »

Quelques secondes s'écoulèrent, insupportables. Molly imita sa grand-mère et ferma les yeux, comme si ce simple geste pouvait l'empêcher d'entendre des coups de feu claquer.

Enfin, un autre étudiant fut appelé, et les applaudissements reprirent.

Molly souffla un bon coup. L'instant était si fort. Elle éclata en gros sanglots, où tristesse et joie se mêlaient.

Quand elle eut séché ses larmes, Molly regretta :

— Vous avez entendu ? Dans le public, *personne* ne l'a applaudi. Il a dû traverser la scène tout seul, devant tous ces Blancs qui…

— Ce n'est pas grave, coupa Erin. Dans le reste du monde, des milliers de gens l'ont applaudi. Lui et vous tous, pour ce que vous avez fait.

Shiri ajouta :

— On se fiche de qui l'a applaudi ou pas. C'est un diplômé vivant, c'est tout ce qui compte.

Molly chuchota :

— C'est arrivé. On l'a fait.

Sa mère et sa grand-mère l'embrassèrent.

Shiri lui posa la main sur le front, à la manière du pasteur :

— Plus tard, je crois que tu mesureras la force et le courage que tout cela t'a donné.

Molly regarda dans le vide. Ses yeux se posèrent sur le calendrier du frigo, qu'elle avait ramassé un peu plus tôt dans la soirée. Elle ne prendrait pas la peine de le remettre à sa place. L'année scolaire était terminée.

Shiri ajouta, hésitante :

— Peut-être même que tu seras heureuse de l'avoir vécue.

Molly ne répondit pas. Pour l'instant, ce jour lui paraissait très loin.

Elle avait fait face à une violence ahurissante, on lui avait volé son innocence et ses seize ans. Plus rien ne serait jamais comme avant. Heureusement qu'il y avait eu quelques lueurs d'espoirs. Danny, son soldat, sans qui elle n'aurait jamais pu tenir toute une année. Le professeur de sport. Et Grace Anderson, qui lui avait redonné confiance en l'être humain.

Peut-être que ce serait juste une question de temps.

On verrait bien.

GRACE

Par la fenêtre de la Bentley familiale, Grace regardait le paysage. Ils venaient de dépasser Damascus, petite ville verte et immobile, comme figée dans le temps. À peine y avait-elle aperçu quelques habitants. Une femme à la sortie d'un magasin, les bras chargés de plusieurs sacs de papier brun. Des grappes d'enfants qui couraient dans la cour d'une école. Grace songea aux existences incroyables qu'on se crée à cet âge-là et essaya de se rappeler la dernière fois qu'elle avait joué à s'inventer des vies. Il y avait toujours une dernière fois.

Affalé à côté d'elle, les pieds entravés par des sacs de voyage, Keith était plongé dans un *comic-book* de *Superman*. De temps à autre, il émettait quelques grognements exprimant la surprise ou la satisfaction.

À l'avant, ses parents se taisaient. Grace songea que, comme elle, ils essayaient probablement de saisir au vol l'un des souvenirs qui défilaient.

Elle passa la main dans ses cheveux courts. Voilà déjà pratiquement deux mois que *ça* s'était produit, mais, chaque fois qu'elle touchait ses cheveux, ses doigts n'en finissaient pas d'être surpris. Elle soupira. Cette fois, c'était bel et bien terminé.

Après son agression, ses parents n'avaient pas hésité. Son père avait demandé sa mutation dans une autre ville. Ils avaient mis la maison en vente, réglé tous les papiers et trouvé une nouvelle place à leur bonne.

Ils étaient partis de Little Rock il y a deux heures et filaient droit vers le nord. Toute la famille déménageait à Cincinnati, Ohio.

La seule chose que Grace regretterait de son ancienne vie, ce serait Minnie. Si sa bonne avait essayé de ne pas pleurer, Grace l'avait fait pour deux. Pourquoi était-ce au moment de quitter certaines personnes que l'on réalisait à quel point on les aimait ?

Grace se baissa pour attraper sa sacoche de cuir. Elle la mit sur ses genoux et en sortit la petite boîte que Minnie lui avait remise. « Pour après », avait-elle dit avec son sourire rond. Grace tira sur le nœud de satin bleu et souleva le couvercle de carton.

Elle esquissa un sourire. C'était une paire de collants.

Un petit mot avait été déposé au fond. « Pour tes sweet sixteen. Minnie. »

En faisant glisser ses doigts sur le Nylon, Grace eut honte. Finalement, elle ne savait pratiquement rien de cette femme qu'elle adorait. Où vivait-elle ? À quoi ressemblaient ses enfants ? Riait-elle souvent ? Elle n'avait jamais vraiment pris la peine de s'y intéresser. Tout comme à Molly Costello et de ces huit autres étudiants noirs dont elle mesurait maintenant l'incroyable courage.

Depuis que *ça* lui était arrivé, elle était convaincue qu'ils avaient eu raison, et que leur combat était juste. Ce qu'elle avait vécu démontrait justement à quel point la situation était grave. Elle avait été passée à tabac parce qu'elle avait... parlé à des gens qui n'avaient pas la même couleur de peau.

En fait, peut-être qu'elle avait toujours su que ce combat était juste, mais qu'elle n'avait jamais eu l'aplomb de se l'avouer. Elle ne savait plus très bien.

Grace essaya d'imaginer Molly Costello en train de sourire. Elle ne l'avait jamais vue autrement que le visage fermé, de peur qu'une attitude plus ouverte puisse être considérée comme une provocation. À quoi pouvait-elle bien ressembler quand elle riait ?

— Putain, c'est bien !

Keith s'était redressé, la tête encore pleine des images de sa BD.

Grace se remit à regarder le paysage défiler.

Ses images à elle, celles d'une Molly Costello qui souriait, lui plaisaient aussi.

PAR LA SUITE...

Dans la réalité, seuls huit des neuf étudiants terminèrent leur année. Après l'affaire du chili, Minnijean Brown fut en effet définitivement renvoyée, cette fois pour avoir répondu à des insultes.

À la rentrée suivante, en 1958, l'intégration ne fut pas poursuivie au Lycée central. Conforté par les résultats d'un référendum populaire, le gouverneur Faubus préféra user de ses prérogatives en fermant les quatre lycées publics de la ville, empêchant Noirs comme Blancs de suivre les cours. L'année fut baptisée « *the lost year* », l'année perdue.

Ce n'est finalement qu'en 1960 que les établissements scolaires rouvrirent leurs portes, sous l'injonction de la Cour suprême des États-Unis. Les étudiants d'origine afro-américaine y furent toujours aussi mal accueillis, subissant moqueries, brimades et brutalités en tous genres.

Pour poursuivre leurs études, les neuf de Little Rock déménagèrent ou s'inscrivirent à des cours par correspondance.

Melba Pattillo s'installa en Californie où elle fut accueillie par George et Caroll McCabe, un couple de Blancs et ses quatre enfants.

Après avoir obtenu son diplôme, elle commença à écrire pour divers journaux et magazines et embrassa la carrière de journaliste dont elle avait rêvé.

En 1999, Melba Pattillo et les huit autres étudiants reçurent « the Congressional Gold Medal », la plus grande distinction qui puisse être remise à un citoyen américain. Seuls trois cents autres personnes la possèdent.

En décembre 2008, ils furent invités par Barack Obama pour assister à son investiture en tant que premier président afro-américain des États-Unis.

Ils sont reconnus comme des acteurs majeurs de la lutte pour le mouvement des droits civiques.

Âgée de soixante et onze ans, Melba Pattillo vit aujourd'hui à San Francisco, où elle enseigne le journalisme.

ANNELISE HEURTIER

Quand j'étais une fringante ado (sans rides, sans chef et sans enfants !), je partageais mon temps entre les compétitions de gymnastique, le lycée et les bouquins. Je lisais à peu près tout ce qui me tombait sous la main !

Maintenant que je suis une raisonnable maman de trente-quatre ans, je me sens bien trop vieille pour jouer les aventurières sur une poutre... alors, en plus de continuer à lire, je me suis mise à écrire ! Et le plus fou, c'est que ça a marché... la preuve, vous venez de terminer un de mes romans.

Prêt à recommencer ?

Achevé d'imprimer par GGP Media GmbH, Pößneck
en avril 2014
pour le compte de France Loisirs,
Paris

N° d'éditeur : 76597
Dépôt légal : mai 2014
Imprimé en Allemagne